Escritos seletos

Dados Internacionais de Catalogação na Publicação (CIP)
(Câmara Brasileira do Livro, SP, Brasil)

Calvino, João
  Escritos seletos / João Calvino ; organização e revisão de Luis Alberto De Boni ; tradução de Sabatini Lalli. – Petrópolis, RJ : Vozes, 2019. – (Coleção Vozes de Bolso)

  Título original: Institutas, Livro III, Cap. X - Livro IV, Cap. XX.
  ISBN 978-85-326-6198-2

  1. Calvino, João, 1509-1564 – Escritos 2. Calvinismo
3. Cristianismo e política – Obras anteriores a 1800
4. Igreja reformada – Doutrinas – Obras anteriores a 1800
5. Protestantismo 6. Teologia política I. De Boni, Luis Alberto.
II. Título. IV. Série.

19–27180   CDD–270

Índices para catálogo sistemático:
1. Calvinismo : Período da reforma : Escritos : Igreja cristão 270

Maria Alice Ferreira – Bibliotecária – CRB-8/7964

João Calvino

Escritos seletos

Organização e revisão de
Luis Alberto De Boni

Tradução de
Sabatini Lalli

Vozes de Bolso

Título do original em latim: *Institutas, Livro III, Cap. X, Livro IV, Cap. XX.*

© desta tradução:
2000, 2019, Editora Vozes Ltda.
Rua Frei Luís, 100
25689-900 Petrópolis, RJ
www.vozes.com.br
Brasil

Todos os direitos reservados. Nenhuma parte desta obra poderá ser reproduzida ou transmitida por qualquer forma e/ou quaisquer meios (eletrônico ou mecânico, incluindo fotocópia e gravação) ou arquivada em qualquer sistema ou banco de dados sem permissão escrita da editora.

CONSELHO EDITORIAL

Diretor
Gilberto Gonçalves Garcia

Editores
Aline dos Santos Carneiro
Edrian Josué Pasini
Marilac Loraine Oleniki
Welder Lancieri Marchini

Conselheiros
Francisco Morás
Ludovico Garmus
Teobaldo Heidemann
Volney J. Berkenbrock

Secretário executivo
João Batista Kreuch

Diagramação: Sheilandre Desenv. Gráfico
Revisão gráfica: Nilton Braz da Rocha
Capa: Ygor Moretti

ISBN 978-85-326-6198-2

Texto anteriormente publicado em *Escritos Seletos de Martinho Lutero, Tomás Müntzer* e *João Calvino*, organização, revisão e apresentação de Luis Alberto De Boni, Ed. Vozes, 2000 (vários tradutores).

Editado conforme o novo acordo ortográfico.

Este livro foi composto e impresso pela Editora Vozes Ltda.

Sumário

1. Como se deve usar da presente vida e de seus recursos, 7

2. Poder civil, 17

1
Como se deve usar da presente vida e de seus recursos[*]

1) Os bens desta vida devem ser considerados com vistas à bem-aventurança da vida futura, e devem ser usados sem excessiva economia e sem abusivo desperdício.

Graças a tais noções básicas a Escritura nos ensina, devidamente, qual é o correto uso dos bens terrenos. As noções a respeito disso não devem ser desprezadas ao regularmos a nossa maneira de viver. Ora, se precisamos viver, impõe-se também que usemos dos recursos necessários à vida. Não podemos, também, furtar-nos ao uso daquelas coisas que parecem servir mais ao prazer do que à necessidade. Portanto, faz-se necessário observar a justa medida, de sorte que, tanto para a necessidade quanto para o deleite, usemos dos bens com uma consciência pura. Essa medida justa é prescrita pelo Senhor em sua Palavra, quando ensina que a presente vida é, para os seus, como uma peregrinação pela qual estão marchando para o reino celestial (Lv 25,23; 1Cr 29,15;

Sl 39,12; 119,19; Hb 11,8-10; 13-16; 13,14). Se se tem de transitar pela terra apenas de passagem, não há dúvida de que, enquanto neste mundo, devemos usar dos bens, de modo que eles nos ajudem, ao invés de nos embaraçarem a passagem. Por isso Paulo, não sem motivo, convence-nos de que devemos usar deste mundo como se dele não precisássemos, e que as posses devem ser adquiridas com a mesma disposição com que são vendidas (1Cor 7,30-31). Contudo, pelo fato de esta situação ser escorregadia e ser inclinada para um ou para outro desses dois extremos, esforcemo-nos por fincar o pé onde nos seja possível nos firmar com segurança.

Ora, tem havido, por outro lado, alguns homens bons e santos que, vendo a falta de moderação e o luxo excessivo se alastrarem ininterruptamente, em desenfreado desregramento – a menos que fossem contidos mais drasticamente –, e tais homens, desejando corrigir tão pernicioso mal, a única fórmula que lhes ocorreu foi a de permitirem ao ser humano usar das coisas materiais só quando houvesse necessidade. Sem dúvida, foi um parecer judicioso, mas foram rígidos demais, visto que prenderam as consciências em laços mais apertados – e isso é muito perigoso –, laços mais apertados do que aqueles laços que seriam apertados pela Palavra do Senhor. Com efeito, para eles, a necessidade é abster-se de tudo o que se possa carecer. Assim, para eles, mal se permitiria acrescentar o que quer que seja a simples pão e água! A austeridade de outros é ainda maior, como, por exemplo, é dito de Crates, o tebano, que lançou ao mar as suas posses por pensar que, se elas não perecessem, ele poderia vir a perder-se por causa delas.

Hoje, porém, muitos, enquanto buscam pretexto para se desculpar da imoderação da carne, no uso de coisas externas – querendo, enquanto isso, aplanar o caminho àquele que pratica excessos –, assumem como reconhecido que essa liberdade não deve ser restringida por nenhuma moderação, mas, ao contrário, que se deve deixar que cada um, segundo a sua consciência, faça uso de tudo quanto lhe for permitido. Com isso de modo algum concordo! Reconheço, sem dúvida, que as consciências não devem nem podem aqui ser obrigadas por fórmulas fixas e preciosas de leis. Porém, uma vez que a Escritura ensina regras gerais a respeito do uso legítimo dos bens, certamente esse uso nos deve ser limitado por essas regras.

2) O princípio correto, no uso das coisas, é servir-mo-nos delas de acordo com sua finalidade, e na medida à qual se destinam, e usá-las de acordo com a necessidade que temos delas e conforme o deleite que nos proporcionam.

Este é o princípio: o uso dos dons de Deus não aberra quando se ajusta aos fins para os quais o próprio Criador nos criou e destinou esses dons, porque foi para o nosso benefício, não para o nosso dano, que Ele os criou. Por isso, ninguém mais seguirá o caminho reto senão aquele que atentar diligentemente para esse fim.

Ora, se ponderarmos para que fins Deus criou os alimentos, verificaremos que Ele quis atender não apenas à nossa necessidade, mas também ao nosso deleite e à nossa alegria; assim nas vestes: além da necessidade, seu propósito foi o decoro e a dignidade; nas ervas, árvores e frutos, seu propósito, além de atender aos variados usos, foi o de atender à beleza da aparência e à suavidade do perfume. Ora, a não ser que isso fosse verdadeiro, o profeta não cantaria, entre os benefícios de Deus, que o "vinho alegra o coração do homem", que o "óleo faz resplandecer o seu rosto" (Sl 104,15), nem as Escrituras, a fim de exaltar a benignidade de Deus, estariam relembrando, a cada passo, que Ele tem dado aos homens todas as coisas desse gênero.

As próprias qualidades naturais das coisas demonstram, suficientemente, para que fins e em que extensão é lícito usufruí-las. Não terá o Senhor, porventura, na verdade, dado às flores a tão grande formosura que acode aos olhos espontaneamente? Não lhes terá Ele dado, naturalmente, a tão grande suavidade do olor ao olfato que se deleita com o seu perfume? E será justo que uns sejam afetados pela beleza das flores e outros pelo encanto de seu aroma? Quê? Não distinguiu Deus as cores de tal modo que a umas fizesse mais aprazíveis que a outras? Não distribuiu Deus, porventura, ao ouro e à prata, ao marfim e ao mármore um fascínio em virtude do qual se tomassem preciosos acima dos outros, quer sejam metais, quer sejam pedras? Em suma, não nos fez Deus, porventura, muitas coisas dignas de apreço, independentemente do seu uso necessário?

3) O uso dos bens desta vida só é apropriado na medida em que glorifiquem a Deus e sejam real ação de graças a Ele.

Fora, portanto, com essa filosofia desumana que, enquanto nenhum uso concede das coisas criadas senão o uso da necessidade, não apenas nos priva, indignamente, do lícito fruto da divina beneficência, mas que, também, não se pode aplicar ao homem despojado de toda sensibilidade, a menos que o haja reduzido a um tronco de árvore. Por outro lado, porém, impõe-se que, não menos diligentemente, resistamos à concupiscência da carne, a qual, se não for coibida, extravasa desmedidamente e tem, como já disse, os seus defensores, os quais, sob o pretexto de liberdade concedida, tudo permitem em relação ao uso dos bens. Primeiramente impõe-se um freio ao uso dos bens, se se estabelecer que todas as coisas nos foram criadas para que reconheçamos o seu Autor e, com ação de graças, engrandeçamos a sua complacência para conosco.

Onde estará a ação de graças se, com iguarias ou com vinho, te empanturrares a tal ponto que fiques incapaz para os deveres da piedade e de tua vocação? Onde estará o teu reconhecimento a Deus se a tua carne, com vil paixão fervendo de excessiva abundância, infecta a tua mente com sua impureza, de tal modo que não possas discernir o que existe de reto e de digno? Onde, na tua indumentária, estará a gratidão para com Deus se, por causa do seu suntuoso enfeite, não só nos admiremos a nós próprios, mas até aos outros desprezemos e se, da elegância e beleza das vestes, nos encaminhamos à falta de vergonha? Onde estará o reconhecimento de Deus se nossas mentes estivessem presas ao esplendor das vestes? Ora, muitos entregam aos deleites, a tal ponto, os seus sentidos, que a mente se prostra sufocada; muitos a tal ponto se comprazem no mármore, no ouro e nas pinturas, que se tornam marmorizados, convertem-se em metais, por assim dizer, e se tornam semelhantes às figuras pintadas. Outros são embotados pelo aroma da cozinha ou pela fragrância de seus odores, de modo que não têm "olfato" para coisa alguma que seja espiritual. Isso também pode ser visto nas demais coisas. Em razão disso já se faz evidente aqui ser coibida, em larga escala, a liberdade de abusar dos dons divinos, confirmando-se a regra de Paulo: Não exerçamos cuidado da carne, para não satisfazer as suas concupiscências (Rm 13,14), às quais, fazendo-se-lhes demasiada concessão, refervem sem medida ou contenção.

4) Primeira regra do viver condigno: Usar de tudo com desprendimento, sem afetação nem ostentação, na perspectiva da vida celestial.

Mas nenhum caminho é mais seguro e mais adequado do que aquele que nos resulta do menosprezo da vida presente e da meditação da celeste imortalidade. Ora, aqui seguem-se duas regras. A primeira é esta: aqueles que usam deste mundo tenham a disposição exata de quem dele não faz uso; os que contraem matrimônio, como se não o contraíssem; os que compram, como se não comprassem, como preceitua Paulo (1Cor 7,29-31). A segunda regra é que saibam suportar a penúria não menos plácida e pacientemente do que usar moderadamente da abundância. Aquele que prescreve que deves usar deste mundo como se dele não usasses aniquila não apenas a intemperança da gula na comida e na bebida, a imoderada indulgência na mesa, na moradia e na indumentária, a ambição, a soberba, a arrogância e o enfado, mas aniquila também todo cuidado e predisposição que ou te afaste ou te impeça de pensar na vida celeste e no cultivo da alma.

De fato, da parte de Catão foi dito outrora, com verdade, que grande é a preocupação da moda e grande é a despreocupação da virtude. E, para usar do provérbio antigo: "Aqueles que estão muito ocupados com o cuidado do corpo na maior parte das vezes negligenciam o cuidado da alma". Portanto, ainda que em coisas exteriores a liberdade dos fiéis não deva ficar obrigada a uma fórmula fixa, ela está, contudo, sujeita a esta lei: que os fiéis sejam o mínimo possível complacentes para consigo. Em contrapartida, instem consigo, com perene disposição da alma, para eliminar toda ostentação de supérflua superabundância, mais ainda para coibir a desmedida suntuosidade, e se guardem diligentemente para que, dos meios de ajuda, não façam para si fatores de entrave.

5) Segunda e terceira regras do viver condigno: Suportar resignadamente as privações da pobreza sem ceder à arrogante altivez quando vier a abundância, tendo em conta que tudo o que temos são bens de Deus confiados à nossa mordomia.

Uma segunda regra é que aqueles, para quem os recursos são limitados e escassos, saibam deles carecer pacientemente, para que não sejam atormentados de imoderada cobiça. Os que sustentam essa moderação progrediram não modestamente na escola do Senhor. Ora, além de muitos outros vícios acompanharem o desejo das coisas terrenas, aquele que não suporta a penúria pacientemente também na abundância manifesta, na maior parte das vezes, a enfermidade contrária. Quero dizer: aquele que se envergonhará das vestes modestas vangloriar-se-á da vestimenta luxuosa; aquele que não se contentará com uma ceiazinha frugal ficará atribulado com o desejo de um repasto mais lauto e abusará, além disso, intemperantemente, dessas suntuosidades, se as receber como quinhão; aquele que suporta, com relutância e de ânimo inconformado, uma condição pobre e humilde, se for elevado a uma condição de honra, de modo algum deixará de ceder à arrogância. Portanto, aqueles em quem o zelo da piedade não é fingido, porfiem por viver segundo o exemplo do apóstolo: aprendam, pelo exemplo dele, a ser fartos e a passar fome, a ter abundância e a sofrer penúria (Fl 4,12).

Além disso, a Escritura tem também uma terceira regra pela qual regula o uso das coisas terrenas, regra acerca da qual já dissemos algo quando tratamos dos preceitos da caridade. Esta regra estatui que todas as coisas terrenas nos foram outorgadas pela benignidade de Deus e destinadas ao nosso proveito, sendo como que depósitos dos quais um dia teremos de prestar conta. Assim, portanto, é preciso administrá-las como se aos nossos ouvidos soasse a expressão: "Dá conta de tua mordomia" (Lc 16,2). Ao mesmo tempo devemos lembrar-nos de quem nos exige essa prestação de conta. Na verdade, aquele que recomendou a abstinência, a sobriedade, a frugalidade e a moderação é o mesmo que abomina, afinal, o luxo, a soberba, a ostentação e a vaidade; é aquele que não aprova outra gestão de bens senão aquela que esteja associada à caridade; é aquele que, por sua boca, já condenou todos e quaisquer deleites que tiram, do coração ou da mente do homem, a castidade e a pureza, embotando-o de negrura.

6) Quarta regra do viver condigno: Em todos os seus atos o homem deve levar em conta a vocação divina ou a ordenança pela qual deve pautar sua vida.

Finalmente, é preciso levar em conta o seguinte: o Senhor, em todas as ações da vida, ordena, a cada um de nós, que atentemos para a nossa vocação, pois Ele sabe com quão grande inquietude efervesce o engenho humano, de quanta volubilidade é ele levado de um lado para outro, e de quão ávida é a sua ambição em abraçar diversas coisas ao mesmo tempo. Portanto, para que através de nossa estultícia e temeridade não se misturem todas as coisas de cima para baixo. Deus ordenou a cada um os seus deveres, em diferentes gêneros de vida. E para que ninguém ultrapassasse, temerariamente, os seus limites, Deus chamou de vocações a essas modalidades de viver. Portanto, para que os homens não sejam levados, às cegas, ao léu, por todo o curso de sua vida, o Senhor atribuiu a cada um sua força de viver, como se fora um posto de serviço.

Esta distinção, no entanto, é a tal ponto necessária, porque diante de Deus nossas ações são avaliadas, e frequentemente, na verdade, são avaliadas de um modo muito diferente do que o faz o juízo da razão humana e filosófica. Até mesmo entre os filósofos nenhum feito é havido por mais nobre do que o livrar a pátria da tirania. Todavia, é abertamente condenado, pela voz do árbitro celeste, o cidadão que, individualmente, puser a mão num tirano (1Sm 24,7-11; 26,9). Contudo, não quero deter-me em citar exemplos. É bastante sabermos que a vocação do Senhor, em toda coisa, é o princípio e fundamento do bem-agir, e quem não se reportar a essa vocação jamais se aterá ao reto caminho, em seus misteres. Poderá o homem, aliás, por vezes, engendrar algo aparentemente louvável. No entanto, independentemente do que isso represente aos olhos dos homens, será rejeitado diante do trono de Deus. Além disso, nenhuma harmonia haverá entre as diversas e apropriadas partes da vida.

Em consequência, quando for orientada para este objetivo, a vida será disposta o melhor possível, porquanto nem tentará alguém – pela própria temeridade – fazer mais do que sua vocação poderá permitir, uma vez que saberá não ser lícito exceder os seus próprios limites. Quem for de condição obscura, cultivará sua vida individual sem pesar, de modo a não desertar da posição em que for divinamente colocado. Por outro lado, não pouco alívio terá este em relação aos cuidados, labores, inquietações e outros fardos, e ao mesmo tempo cada um reconhecerá que Deus é o guia em todas essas coisas. O magistrado desempenhará suas funções de melhor grado e o chefe de família se restringirá ao seu dever, e cada um, em seu gênero de vida, suportará e absorverá as desvantagens, as preocupações, os aborrecimentos e as angústias, quando se persuadir de que o fardo de cada um foi imposto por Deus. Contudo, insigne consolação advirá desde que obedeçamos à nossa vocação, pois nenhuma obra haverá, diante de Deus, tão ignóbil e vil, que não resplandeça e não seja tida por valiosíssima.

Tradução de Sabatini Lalli

2
Poder civil*

Introdução[1]

Posto que antes já nos referimos a duas formas de governo no homem, e já falamos suficientemente da primeira, que reside na alma ou no homem interior, e se refere à vida eterna, trataremos agora da segunda, à qual compete somente ordenar a justiça civil e reformar os costumes e conduta exteriores. Porque ainda que esta matéria não pareça pertencer aos teólogos, nem seja própria da fé, o seu desenvolvimento, sem dúvida, provará que faço muito bem em tratar dela. E sobretudo porque, nos dias de hoje, existem homens tão desatinados e bárbaros, que fazem todo o possível para destruir esta ordenação que Deus estabeleceu. E, por outro lado, os aduladores dos príncipes, ao engrandecer sem limite nem medida o seu poder, não duvidam em colocá-los em competição com Deus. Desse modo, se não se aplicar em tempo um corretivo a uns e outros, decairá a pureza da fé.

Acrescente-se a isso que, para permanecer no temor de Deus, nos é coisa útil saber quanta bondade tem tido Deus em prover tão bem o gênero humano para que, com isso, nos sintamos mais estimulados a servi-lo, para dar-lhe testemunho de que não lhe somos ingratos.

Primeiramente, antes de nos aprofundarmos na matéria, será necessário trazer à memória a distinção que já estabelecemos, a fim de que não nos aconteça o que costuma acontecer a muitos, que confundem, inconsideradamente, estas duas coisas, não obstante serem elas totalmente diversas. Pois, quando ouvem que no Evangelho se promete uma liberdade que, segundo se diz, não reconhece nem rei nem mestre entre os homens, mas somente a Cristo, não podem eles compreender qual é o fruto de sua liberdade quando veem alguma autoridade sobre eles. Deste modo, não acreditam que as coisas andem bem, a menos que o mundo todo adote uma nova forma, na qual não haja julgamentos, nem leis, nem magistrados e nem coisas semelhantes com as quais consideram ser restringidas a sua liberdade. Porém, os que sabem distinguir entre o corpo e a alma, entre esta vida transitória e a vida vindoura, que é eterna, compreenderão com isso, de uma vez e mui claramente, que o reino espiritual de Cristo e o poder civil são coisas bem diferentes entre si. E posto que é uma loucura judaica basear e encerrar o reino de Cristo debaixo dos elementos deste mundo, nós – pensando melhor, como ensina claramente a Escritura – sustentamos que o fruto que temos de receber da graça de Deus é fruto espiritual e temos muito cuidado em manter, dentro de seus limites, essa liberdade que nos é prometida e oferecida em Cristo. Por que, com que objetivo o próprio apóstolo nos ordena que estejamos firmes e não permaneçamos sujeitos ao jugo da escravidão? (Gl 1,4). E por que, noutro lugar, ensina aos servos que não se sintam oprimidos por seu estado, senão que a liberdade espiritual é perfeitamente compatível com a servidão social? (1Cor 7,21). Nesse sentido há que entender também as outras sentenças do apóstolo: que no Reino de Deus "não há grego nem judeu, circuncisão nem incircuncisão, bárbaro nem cita, servo nem livre, mas Cristo é tudo em todos" (Cl 3,11).

Calvino refuta as objeções dos anabatistas

Apesar disso esta distinção não serve para que tenhamos a ordem social como imunda e que não convenha a cristãos. É verdade que os espíritos utópicos, que não buscam senão um desregramento moral desenfreado, falam desse modo atualmente e afirmam que – pelo fato de, em Cristo, termos matado os elementos deste mundo e termos sido transladados ao Reino de Deus entre os habitantes do céu – é coisa baixa e vil para nós, e indigna de nossa excelência, ocupar-nos com essas preocupações imundas e profanas que se referem aos negócios deste mundo, negócios dos quais os cristãos têm de estar separados e bem distantes. De que servem, dizem eles, as leis sem julgamentos nem tribunais? E o que os cristãos têm a ver com os tribunais? Se não é lícito aos cristãos matar, de que nos serviriam as leis e os tribunais?

Porém, assim como há pouco advertimos de que esse gênero de governo é muito diferente do governo espiritual e interior de Cristo, devemos também saber que de forma alguma se opõe a Ele. Porque esse reino espiritual já aqui, na terra, começa a fazer-nos sentir um certo gosto pelo reino celestial, e nesta vida mortal e transitória nos faz antecipar a bênção da bem-aventurança imortal e incorruptível. Porém, a finalidade do governo temporal é manter e conservar o culto divino externo, a doutrina e religião em sua pureza, o estado da Igreja em sua integridade; é a de fazer-nos viver com toda justiça, segundo o exige a convivência dos homens durante todo o tempo que temos de viver entre eles; é a de instruir-nos numa justiça social e a pormo-nos de acordo uns com os outros, a manter e a conservar a paz e tranquilidade comuns. Admito que todas essas coisas são supérfluas se o Reino de Deus, como é atualmente entre nós, destruísse esta vida presente. Porém, se a vontade de Deus é que caminhemos sobre a terra enquanto suspiramos pela verdadeira pátria e se, além disso, tais ajudas nos são necessárias para o nosso caminho, então, os que querem privar os homens dessas coisas, querem impedir que eles sejam homens. Porque, a respeito do que alegam, isto é, que na Igreja de Deus deve haver tal perfeição que faça as vezes de quantas leis existem, isso que imaginam é uma insensatez, pois jamais poderá existir tal perfeição em qualquer sociedade humana, visto ser tão grande a insolência dos malvados e sua perversidade tão contumaz e rebelde, que a duras penas pode-se manter a ordem, mesmo com o rigor das leis. Nessas condições, que se poderia esperar deles, se lhes fosse permitida uma liberdade tão desenfreada para fazer o mal, quando mesmo pela força quase não podem ser contidos?

A necessidade da autoridade humana

Porém, mais adiante teremos ocasião mais oportuna para falar da utilidade e proveito da ordem civil.

Por agora pretendo apenas fazer compreender que é uma desumana barbárie não querer admiti-la, já que, entre os homens, a necessidade da ordem civil não é menor do que a do pão, da água, do sal e do ar, e sua dignidade é ainda maior que a destes. Porque os homens comem e bebem para manter-se nesta vida – ainda que a função da ordem civil compreenda todas estas coisas, quando faz com que os homens possam viver juntos. Não lhes compete somente isto, mas também fazer com que a idolatria, a blasfêmia contra Deus e sua dignidade, e outros escândalos da religião não sejam cometidos publicamente na sociedade, e fazer com que a tranquilidade física não seja perturbada. Compete-lhe assegurar que cada um possua o que é seu; que os homens comerciem entre si sem fraude nem engano; que haja entre eles honestidade e modéstia. Em suma, cabe-lhe assegurar que resplandeça uma forma pública de religião entre os cristãos e que subsista a humanidade entre os homens.

E não deve parecer coisa estranha que eu confie, à autoridade civil, o cuidado de ordenar bem a religião, tarefa esta que, a alguns, parecerá que eu mantive fora da competência dos homens: não permito aqui que os homens inventem leis segundo o seu capricho, no que se refere à religião e à maneira de servir a Deus, mais do que se lhes permitia antes. No entanto, aprovo uma forma de governo que cuide para que a verdadeira religião, contida na Lei de Deus, não seja publicamente violada nem corrompida com um desregramento impune. Mas, se descemos a tratar, em particular, cada uma das partes do poder civil, a ordem a seguir ajudará os leitores a entenderem melhor o juízo que devem formar a respeito do mesmo, em geral.

A condição dos magistrados – sua vocação é de Deus

No que se refere à condição dos magistrados, o Senhor não apenas declarou que essa condição lhe é aceita e grata; porém, ainda mais a honrou com títulos ilustres e honoríficos, e nos tem recomendado singularmente sua dignidade. Para provar isso brevemente, vejamos: aqueles que estão constituídos em dignidade e autoridade são chamados "deuses" (Ex 22,8-9; Sl 82,1.6). Esse é um título que não se deve estimar como pouca coisa; com ele se mostra que os magistrados têm mandato de Deus, que são autorizados e entronizados por Ele e em tudo representam sua pessoa, sendo, de certo modo, seus substitutos.

Isso não é uma invenção oriunda da minha cabeça, senão uma interpretação do próprio Cristo, que disse: "Se a Escritura chamou *deuses* àqueles aos quais veio a Palavra de Deus" (Jo 10,35), que significa isso senão dizer que eles estão encarregados e comissionados por Deus para servi-lo em seu ofício e também – como diziam Moisés e Josafá aos juízes que constituíam em cada cidade da Judeia (Dt 1,16-17; 2Cr 19,6) – para exercerem justiça não em nome dos homens, mas de Deus? A este mesmo fim concorre o que diz a sabedoria de Deus pela boca de Salomão: "Por mim reinam os reis, e os príncipes determinam justiça. Por mim dominam os príncipes, e todos os governadores julgam a terra" (Pr 8,15-16). Isto vale tanto como se dissesse que não se deve à perversidade dos homens o fato de os reis e demais superiores terem a autoridade que têm sobre a terra, mas se deve à providência de Deus e à sua santa ordenação, visto que lhe agrada conduzir, desta maneira, o governo dos homens, porque Ele está presente e preside à instituição das leis e à reta administração da justiça. São Paulo demonstra isso, com toda evidência, quando, entre os dons de Deus, conta o de presidir, dons que, sendo distribuídos entre os homens, devem todos ser empregados para a edificação da Igreja (Rm 12,8), pois mesmo naquele lugar onde fala da assembleia dos anciãos, que se constituía na Igreja primitiva para manter de pé a disciplina pública, está o apóstolo a falar do ofício que, na Carta aos coríntios, chama de *governos*. Ora, como vemos que o governo civil está ordenado para esse mesmo fim, não há dúvida de que nos recomenda todo gênero de governo justo.

Paulo demonstra isso mais claramente ainda quando, de modo expresso, trata dessa matéria, pois ensina ele que "não há autoridade senão da parte de Deus, e as que existem foram por Ele instituídas". Diz ainda que os príncipes são ministros de Deus para honrar aqueles que fazem o bem e castigar os que praticam o mal (Rm 13,1-4).

A isso também se referem, igualmente, os exemplos de santos varões, dos quais uns têm sido reis, como Davi, Josias e Ezequias; outros, governadores e grandes magistrados sob as ordens de seus reis, como José e Daniel; outros, chefes e condutores de um povo livre, como Moisés, Josué e os juízes, a condição dos quais foi muito grata a Deus, segundo Ele mesmo tem declarado.

Portanto, não se deve pôr em dúvida que o poder civil é uma vocação, não somente santa e legítima diante de Deus, mas também mui sacrossanta e honrosa entre todas as vocações.

A autoridade do poder civil está sujeita à autoridade de Deus e de Cristo

Os homens que quiseram introduzir a anarquia, isto é, que não queriam que houvesse nem rei nem mestre, mas que tudo andasse confuso e em desordem, replicam que embora antigamente tenha havido reis e governadores sobre o povo judeu – que era ignorante –, agora, sem dúvida, levando-se em conta a perfeição que Jesus Cristo nos propõe em seu Evangelho, não é correto que sejamos mantidos sob essa servidão. Nisso não só se descobre a irracionalidade desses, mas também o seu diabólico orgulho, visto jactarem-se de uma perfeição da qual não poderiam mostrar nem sequer a centésima parte. Porém, ainda que eles fossem os mais perfeitos que se pudesse imaginar, mesmo assim poderiam ser facilmente refutados. Porque Davi, depois de exortar os reis e os príncipes a honrarem o Filho de Deus, em sinal de obediência (Sl 2,12), não os manda deixar de ser reis ou príncipes para voltarem a ser pessoas comuns, mas ordena-lhes submeter a Nosso Senhor Jesus Cristo sua autoridade e o poder que possuem, para que só Ele tenha a preeminência sobre todos. Do mesmo modo Isaías (49,23), ao prometer aos reis que eles serão os aios da Igreja e as rainhas suas amas, não os desagrada nem lhes tira a dignidade que possuem; antes, os confirma em seu título, chamando-os patronos e protetores dos fiéis, servidores de Deus, pois esta profecia se refere à vinda de Cristo, nosso Senhor.

Omito, de propósito, outros muitos testemunhos que, a cada passo, se apresentam aos que leem a Escritura, principalmente os Salmos. Entre todos os testemunhos, porém, há um texto em Paulo no qual, exortando Timóteo para que se façam orações públicas em favor dos reis, acrescenta logo esta razão: "Para que vivamos quieta e mansamente, em toda piedade e honestidade" (1Tm 2,2). Por estas palavras se vê claramente que Paulo coloca as autoridades como tutores e guardiães do estado da Igreja.

As autoridades civis servem à justiça divina

É isto que os magistrados devem meditar continuamente, pois estas considerações podem servir-lhes de estímulo que os conduza a agir retamente, e pode proporcionar-lhes um maravilhoso consolo para terem paciência nas dificuldades e numerosas fadigas que seu ofício traz consigo. Porque, quanto de integridade, prudência, clemência, moderação e inocência devem possuir os que se reconhecem ministros da justiça divina? Com que confiança darão entrada, em seu tribunal de justiça, a qualquer iniquidade, sabendo que esse tribunal é o trono do Deus vivo? Com que atrevimento, com sua boca, pronunciarão sentença injusta, sabendo que ela é destinada a ser instrumento da verdade de Deus? Em suma, se têm consciência de que julgam em lugar de Deus, deverão empregar toda sua diligência e empenhar todo o seu esforço em oferecer aos homens, enquanto julgarem, uma certa imagem da providência divina, da proteção, da bondade, da doçura e da justiça de Deus.

Além disso devem ter sempre diante dos olhos que são malditos todos aqueles que são negligentes na obra de Deus (Jr 48,10). Com muito maior razão serão malditos – quando se tratar do castigo – os que, em tão justa vocação, tenham se conduzido deslealmente. Foi assim que Moisés e Josafá, querendo exortar seus juízes a cumprirem com o seu dever, não encontraram nada melhor, para mover o coração deles, do que já citamos: "Vede o que fazeis, porque não julgais em nome de homem, mas em lugar de Deus, que está convosco quando julgais. Seja, pois, convosco o temor de Deus; vede o que fazeis, porque com o Senhor nosso Deus não há injustiça" (2Cr 19,6-7; Dt 1,16). Em outro lugar está escrito que "Deus assiste na congregação divina e no meio dos deuses estabelece o seu julgamento" (Sl 82,1; Is 3,14). Isso deve chegar ao coração dos magistrados, pois com isso se lhes ensina que são lugares-tenentes de Deus, a quem hão de prestar contas do cargo que desempenham. E certamente com toda razão, esta advertência os deve estimular porque, se são faltosos em alguma coisa, não fazem agravo apenas aos homens – aos quais atormentam injustamente –, mas também a Deus, manchando seus sagrados juízos.

Além disso, têm eles abundante motivo para se consolarem, levando em conta que sua vocação não é coisa profana nem alheia a um servo de Deus, mas é um cargo sagrado, já que, ao exercerem o seu ofício, fazem as vezes de Deus.

O ministério dos magistrados não é contrário à vocação nem à religião cristãs

Pelo contrário, os que não se comovem com tantos testemunhos da Escritura e condenam essa santa vocação como coisa contrária à religião e à piedade cristãs, que outra coisa fazem senão zombar do próprio Deus, sobre quem lançam todas as injúrias e reprovações que fazem ao seu ministério? Na verdade essa gente não condena os superiores, para que não reinem sobre ela, mas de todo resistem a Deus, porque se é verdade o que o Senhor disse ao povo de Israel que este não podia suportar seu reinado, porquanto havia resistido a Samuel (1Sm 8,7), por que não se dirá o mesmo agora contra os que tomam a liberdade de falar mal contra as autoridades estabelecidas por Deus?

A objeção deles é que Deus proíbe os cristãos de se intrometerem nos reinos e dignidades, quando diz aos seus discípulos: "Os reis dos povos dominam sobre eles... mas vós não sois assim... o maior entre vós seja o menor" (Lc 22,25-26). Oh! Que bons exegetas! Como interpretam primorosamente a Escritura! Surgira uma disputa entre os apóstolos sobre qual deles seria o maior em dignidade. Nosso Senhor, para reprimir aquela vã ambição, declara que seu ministério não é semelhante ao dos reinos deste mundo, nos quais, como chefe, um precede aos demais. Pergunto: Em que esta comparação menoscaba a dignidade dos reis, e que prova ela, senão que o estado régio não é como o ministério apostólico?

Além disso, ainda que haja diversas classes superiores, sem dúvida em nada diferem quanto à obrigação de aceitá-las como sendo instituídas por Deus, porque Paulo, quando disse que "não há autoridade que não venha de Deus" (Rm 13,1), incluiu todas essas classes. E o que menos agrada aos homens lhes é recomendado, a saber: o senhorio e domínio de um só, o qual, trazendo consigo a comum servidão de todos – exceto daquele a cujo beneplácito submete os demais –, jamais tem agradado a qualquer pessoa de grande engenho e espírito. Porém, a Escritura, por outro lado, para remediar os maus juízos humanos, afirma que à sabedoria e providência divinas se deve o "reinarem os reis" (Pr 8,15) e ordena, de modo particular, a honrar o rei (1Pd 2,17).

As diversas formas de governo

Certamente aos particulares que não têm autoridade alguma para ordenar as coisas públicas, é uma vã ocupação disputar a respeito de qual é a melhor forma de governo. E, além disso, é uma grande temeridade decidir, de modo absoluto, se é uma ou outra forma, já que o ponto principal dessa disputa consiste em suas circunstâncias. E, comparando ainda umas e outras formas de governo, independentemente de suas circunstâncias, não seria fácil determinar qual é a mais útil, visto serem quase iguais, cada uma, em seu valor.

Três são as formas de governo que se enumeram: a *monarquia*, quando é um só o que manda, chama-se ele rei, duque ou tenha qualquer outro nome; *aristocracia*, quando são os nobres e poderosos os que mandam; e a terceira forma, a *democracia*, que é um senhorio popular, no qual cada cidadão tem autoridade.

É certo que o rei, ou qualquer outro que exerça o poder sozinho, facilmente pode transformar-se em tirano. Porém, com a mesma facilidade pode acontecer (a tirania), quando os nobres – que ostentam o poder – conspiram para constituir uma dominação iníqua. Todavia, é mais fácil levantar sedições quando a autoridade reside no povo. Se se estabelecer comparação entre as três formas de governo que apresentei, é mui certo que a preeminência caiba à aristocracia — forma de governo que deixa o povo em liberdade – e, por isso, há de ser mais estimada, não por si mesma, mas porque mui poucas vezes acontece – e é quase um milagre – que os reis dominem de maneira que sua vontade não discrepe jamais da equidade e da justiça. Por outro lado, é coisa mui rara que os reis estejam adornados de tal prudência e perspicácia, que cada um deles veja o que é bom e proveitoso. Por isso, o vício e defeito dos homens são a razão por que a forma de governo mais passável e segura seja aquela na qual muitos governam, ajudando-se uns aos outros e conscientizando-se de seu dever. E quando algum se levanta mais do que convém, que os outros lhe sirvam de censores e conselheiros. Pois a experiência assim o tem demonstrado sempre e Deus, com a sua autoridade, o tem confirmado ao ordenar que esse tipo de governo tivesse lugar no povo de Israel, até manifestar, em Davi, a imagem de Nosso Senhor Jesus Cristo. E como, de fato, a melhor forma de governo é aquela na qual há uma liberdade bem regulada e de larga duração, eu também confesso que aqueles que podem viver em tal condição são felizes, e afirmo que cumprem com o seu dever quando fazem todo o possível para manter tal situação. Os próprios governantes de um povo livre devem envidar todo seu esforço e diligência para que a liberdade do povo, do qual são protetores, não sofra em suas mãos o menor prejuízo. E se são negligentes em conservar essa liberdade, ou se permitem que ela vá decaindo, são desleais no cumprimento do seu dever e traidores de sua pátria. Porém, se os que, por vontade de Deus, vivem sob o domínio dos príncipes – e são súditos naturais dos mesmos –, se apropriam de tal autoridade e intentam mudar esse estado de coisas, essa atitude não será apenas uma especulação louca e vã, mas também maldita e perniciosa.

Além disso, se ao invés de fixar nossos olhos numa única cidade observarmos todo mundo ou diversos países, certamente veremos que as diversas formas de governo, nos diferentes países, não ocorrem sem a permissão divina. Porque assim como os elementos não podem conservar-se senão mediante uma proporção e temperatura desigual, do mesmo modo as formas de governo não podem subsistir sem certa desigualdade. Porém, não é necessário demonstrar tudo isso àqueles aos quais a vontade de Deus é razão suficiente. Porque se é sua vontade constituir reis sobre reinos – e sobre as repúblicas outra autoridade –, nosso dever é submeter-nos e obedecer aos superiores que dominam no lugar onde vivemos.

Os deveres dos governantes se estendem às duas tábuas da lei

Agora, porém, é preciso expor brevemente qual é o ofício dos governantes, tal qual a Palavra de Deus o descreve, e em que consiste ele.

Se a Escritura não nos ensinasse que a autoridade dos governantes se refere e se estende a ambas as tábuas da lei, poderíamos aprender isso dos autores profanos, visto que não há nenhum, entre eles, que, ao tratar do ofício de legislar e ordenar a sociedade, não comece pela religião e pelo culto divino. E com isso, todos têm confessado que não é possível ordenar, de modo feliz, nenhum Estado ou sociedade do mundo sem que, antes de tudo, se disponha que Deus seja honrado. E quando as leis se preocuparem somente com o bem comum dos homens, sem antes levar em conta a honra de Deus, elas põem o carro diante dos bois. Portanto, se a religião, entre os filósofos, tem ocupado sempre o primeiro e supremo lugar – e isto os homens têm observado de comum acordo –, os príncipes e governantes cristãos devem envergonhar-se grandemente por sua negligência se, com grande diligência, não se aplicarem a fazer isso. Já demonstramos que Deus lhes confia especialmente esse cargo. É, portanto, de todo razoável que, visto serem eles representantes e lugares-tenentes de Deus – e dominando por sua graça –, se consagrem, também eles, por seu lado, a manter a honra de Deus. Os bons reis, que Deus tem escolhido entre os demais, são, na Escritura, expressamente louvados pela virtude de haverem posto em pé, e terem restituído em sua integridade o culto divino, quando estava corrompido ou perdido, ou pela virtude de haverem se preocupado muito para que a verdadeira religião florescesse e permanecesse em sua perfeição.

Ao contrário, entre os inconvenientes que a anarquia provoca – e que têm lugar quando falta um bom governante –, a história sagrada enumera a existência da superstição, porque "não havia rei em Israel" e "cada um fazia o que bem lhe parecia" (Jz 21,25). Com isso é fácil refutar a loucura daqueles que quiseram que os governantes – pondo Deus e a religião sob os seus pés – não se preocupassem absolutamente com mais nada, a não ser em guardar a justiça entre os homens. Como se Deus tivesse constituído os que governam em seu lugar para decidirem sobre as diferenças e processos acerca de coisas terrenas e tivesse esquecido do principal, isto é, que Ele seja servido segundo as normas da lei. Porém, o esforço e o desejo de tudo inovar, de mudar e trocar tudo sem ser, por isso, castigado, levou tais espíritos inquietos e belicosos a intentar – se lhes fosse possível – que no mundo não houvesse juiz algum que lhes pusesse freio.

Quanto à segunda tábua [da lei]. Jeremias admoesta aos reis para que julguem e façam justiça; para que livrem o oprimido da mão do opressor, que não enganem nem roubem o estrangeiro, nem o órfão, nem a viúva, nem derramem sangue inocente (Jr 22,3). Com isso está de acordo a exortação que se faz no Salmo 82: "Defendei o débil e o órfão; fazei justiça ao aflito e necessitado; livrai-o da mão dos ímpios" (Jr 22,3-4). No mesmo sentido Moisés ordena aos governantes que havia estabelecido para que ouvissem entre os seus irmãos e julgassem justamente entre os homens e seu irmão e o estrangeiro; que não fizessem distinção de pessoa no juízo, mas que ouvissem tanto o pequeno como o grande; que não deixassem de cumprir o seu dever por medo de coisa alguma, visto que o juízo é de Deus (Dt 1,16-17).

Omito o que se manda em outras partes: que os reis não multipliquem os seus cavalos (Dt 17,16), que não entreguem o seu coração à avareza, que não se ensoberbeçam contra seus irmãos, que todos os dias meditem, sem cessar, na Lei do Senhor, que os juízes não pendam para nenhuma das duas partes, nem admitam dádivas ou presentes (Dt 16,19), e outras sentenças semelhantes que ocorrem continuamente na Escritura. Porque, ao expor aqui o ofício dos governantes não o faço tanto para ensinar a eles, mas para que os demais vejam em que consiste e para que fim o Senhor o instituiu.

Vemos, portanto, que os governadores são constituídos para ser protetores e conservadores da tranquilidade, da honestidade, da inocência e da modéstia públicas (Rm 13,3), e devem ocupar-se da saúde e paz comum de todos. Davi promete ser o patrono dessas virtudes quando for colocado no trono régio (Sl 101), isto é, promete não dissimular nem ser conivente com iniquidade de qualquer natureza, mas detestar os ímpios, os caluniadores e os soberbos; buscar bons e leais conselheiros em toda parte. E, como não podem cumprir isso, senão defendendo os bons contra as injúrias dos maus e assistindo e socorrendo os oprimidos, são, por isso, armados de poder para reprimir e castigar rigorosamente os malfeitores, causadores de maldade que turba a paz pública. Porque, para dizer a verdade, vemos, por experiência, o que dizia Sólon: Todo governo consiste em duas coisas, isto é, em compensar os bons e em castigar os maus; e se estas duas coisas desaparecerem, toda disciplina das sociedades humanas se dissipa e cai por terra, pois são muitíssimos os que não dão grande importância ao bem-agir, se não virem que a virtude é recompensada com alguma honra. Por outro lado, os brios dos maus se tornam irrefreáveis se não veem o castigo aplicado. Estas duas partes estão compreendidas no que diz o profeta quando manda os reis e os demais superiores julgarem e fazerem justiça (Jr 21,12; 22,3). Justiça é acolher os inocentes sob o seu amparo, protegê-los, defendê-los, sustentá-los e livrá-los. O juízo é resistir ao atrevimento dos malvados, reprimir suas violências e castigar seus delitos.

Legitimidade da pena de morte

Aqui levanta-se uma questão muito difícil e espinhosa. Convém saber se, na Lei de Deus, se proíbe aos cristãos matar; porque se a Lei de Deus o proíbe (Ex 20,13; Dt 5,17; Mt 5,21), e se o profeta anuncia, do monte santo de Deus, isto é, de sua Igreja, que nela não farão mal nem dano algum (Is 11,9; 65,25), como é possível que os governantes, ao mesmo tempo, sejam justos e derramem o sangue humano? Ao contrário, se se entende que o governante, ao castigar, nada faz por si mesmo, mas executa os próprios juízos de Deus, esse escrúpulo não nos angustiará.

É verdade que a lei proíbe matar; também, ao contrário, para que os homicidas não fiquem sem castigo. Deus, supremo legislador, põe a espada na mão de seus ministros para que a usem contra os homicidas. Certamente não é próprio dos fiéis afligir nem causar dano; porém, tampouco é afligir e causar dano castigar, como Deus manda, àqueles que afligem os fiéis. Oxalá tivéssemos sempre em mente que tudo isso é feito por mandado e autoridade de Deus, e não pela temeridade dos homens; e se a autoridade de Deus é o fundamento, nunca se perderá o seu caminho, a não ser que se ponha freio à justiça de Deus, para que não castigue a perversidade. Ora, se nos é lícito atribuir leis a Deus, por que caluniaremos os seus ministros? Paulo nos diz que não trazem em vão a espada, porque são servidores de Deus, vingadores para castigar os que praticam o mal (Rm 13,4). Por isso, se os príncipes e os demais governantes compreendessem que para Deus não há coisa mais agradável do que sua obediência, e se quiserem agradar a Deus em piedade, justiça e integridade, preocupem-se em corrigir e castigar os maus.

Certamente Moisés se sentia movido por esse impulso, quando – consciente de que a virtude de Deus lhe ordenara libertar o seu povo – matou ao egípcio (Ex 2,12; At 7,24). Do mesmo modo quando, com a morte de três mil homens, castigou a idolatria que o povo havia praticado (Ex 32,27). Davi também se sentiu impelido por esse zelo quando, no fim de seus dias, mandou seu filho Salomão dar morte a Joab e a Semei (1Rs 2,5.8-9). E falando das virtudes de que um rei necessita, coloca entre elas a de arrancar os ímpios da terra, para que todos os iníquos sejam exterminados da cidade de Deus (Sl 101,8). A isso também se refere o louvor que se dá a Salomão: "Amas a justiça e odeias a iniquidade" (Sl 45,8).

Como o espírito de Moisés, doce e gentil, chega a inflamar-se de tal crueldade que, com as mãos tintas do sangue de seus irmãos, não para de matar senão depois de haver dado morte a três mil deles? (Ex 32,28). Como Davi, homem de tanta brandura, na hora de sua morte faz um testamento tão cruel, mandando seu filho não deixar descer à sepultura, em paz, as cãs de Joab e Semei? (1Rs 2,5-6.8-9). Certamente ambos, ao executarem, com essa crueldade, a vingança (se assim se pode chamar) que Deus lhes havia confiado, santificaram suas mãos, que teriam manchado se os tivessem perdoado. Salomão diz: "Abominação é aos reis praticar impiedade, porque com justiça será firmado o trono" (Pr 16,12). "O rei que se assenta no trono do juízo, com seu olhar dissipa todo mal" (Pr 20,8). "O rei sábio joeira os perversos e faz passar a roda sobre eles" (Pr 20,26). "Tira da prata a escória, e sairá vaso para o ourives;

tira o perverso da presença do rei, e seu trono se firmará na justiça" (Pr 25,4-5). "O que justifica o ímpio e o que condena o justo, abomináveis são para o Senhor, tanto um como o outro" (Pr 17,15). "O rebelde não busca senão o mal, o mensageiro cruel será enviado contra ele" (Pr 17,11). "O que disser ao mau: és justo, os povos o maldirão e as nações o detestarão" (Pr 24,24). Assim, se a sua verdadeira justiça é perseguir os ímpios com a espada desembainhada, querer abster-se de toda severidade e conservar as mãos limpas de sangue – enquanto os ímpios se entregam à tarefa de matar e de exercer a violência –, é fazer-se culpável de grave injustiça. Ao agirem assim, estão muito longe de merecer o louvor de justiceiros e defensores do direito.

Sem dúvida, entendo isso de tal maneira que não se use de excessiva rudeza e que a sede de justiça não seja um patíbulo contra o qual todos venham a clamar, pois estou mui longe de favorecer a crueldade de qualquer tipo, nem quero dizer que uma boa e justa sentença só possa ser pronunciada sem clemência, a qual sempre deve ter lugar no conselho dos reis, pois, como diz Salomão, "a benignidade sustenta o trono" (Pr 20,28). Por isso, não é mau o dito antigo: a clemência é a principal virtude dos príncipes. Porém, é preciso que o magistrado tenha presente ambas as coisas: que sua excessiva severidade não provoque mais dano do que proveito e que, com sua louca temeridade e supersticiosa afetação de clemência, não seja cruel, não levando nada em conta, ou deixando que cada um faça o que quiser, com grave dano para muitos. Porque não foi sem razão que, no tempo do Imperador Nerva, se disse:

É coisa má viver sob um príncipe que nada

permite; porém, muito pior é viver sob um príncipe que a tudo consente.

Legitimidade das guerras justas

Levando-se em conta que às vezes é necessário aos reis e aos príncipes declararem guerra para executar essa vingança, poderemos, por isso, concluir que as guerras, com esse fim, são lícitas. Porque se se dá ao rei poder para conservar seu reino em paz e quietude, poderão eles empregar o seu poder para reprimir os sediciosos, prejudiciais à paz e inimigos dela? Para socorrer aos que são vítimas da violência e para castigar aos malfeitores? Poderão eles empregar melhor o seu poder que destruindo os intentos dos que perturbam tanto o repouso dos particulares como a paz e a tranquilidade comum, e promovem sediciosamente tumultos, violência, opressões e outros danos? Se eles devem ser a salvaguarda e os defensores da lei, sua obrigação e seu dever é destruir os intentos de todos aqueles que, com sua injustiça, corrompem a disciplina da lei. Além disso, se agem com toda justiça ao castigar os salteadores que, com seus latrocínios, prejudicam a não poucas pessoas, terão eles de consentir que a terra toda seja saqueada e depredada, sem pôr cobro a isso? Porque pouco importa se é rei ou um particular quem entra no terreno de outro (sobre o qual não tem direito algum) para matar ou saquear. Toda essa classe de gente há de ser considerada como salteadora de estradas, e como tal há de ser castigada. A própria natureza nos ensina que o dever dos príncipes é fazer uso da espada, não somente para corrigir as faltas dos particulares, mas também para defender a terra confiada aos seus cuidados, se é que alguém queira penetrar nela. O Espírito Santo também nos declara, na Escritura, que tais guerras são lícitas e justas.

Legitimidade da guerra – moderação dos governantes

Se alguém me objetar que no Novo Testamento não há testemunho nem exemplo algum pelo qual se possa provar que é lícito aos cristãos guerrear, respondo que a razão pela qual era lícito antigamente, é válida também agora. E, pelo contrário, respondo que não há razão alguma que impeça aos príncipes defenderem seus vassalos e súditos.

Em segundo lugar, afirmo que não é necessário buscar declaração a respeito disso na doutrina dos apóstolos, já que sua intenção tem sido a de ensinar o reino espiritual de Cristo, e não ordenar os estados temporais.

Finalmente, respondo que podemos muito bem deduzir, do Novo Testamento, que Cristo, com sua vinda, não mudou coisa alguma a respeito disso. Porque, como diz Santo Agostinho, se a disciplina cristã condenasse toda espécie de guerras, aos soldados – que foram a ele para se informarem a respeito do que deveriam fazer para salvar-se – João Batista teria aconselhado a deixarem de ser soldados para se dedicarem a uma outra vocação. No entanto, não o fez. Apenas os proibiu de praticar violência ou de causar dano a quem quer que fosse, e lhes ordenou que se dessem por satisfeitos com seu soldo. Ao ordenar-lhes que se contentassem com o seu soldo, não os proibiu de guerrear (Lc 3,14).

Mas os governantes devem guardar-se para não se submeterem ao menor de seus desejos; ao contrário, se devem impor algum castigo, devem abster-se da ira, do ódio ou da excessiva severidade e, sobretudo, como diz Santo Agostinho, em nome da humanidade, devem ter compaixão daquele a quem castigou pelos danos que cometeu. Ou, então, quando devam tomar das armas contra qualquer inimigo, ou seja, contra ladrões armados, não devem fazê-lo sem causa grave. Mais ainda, quando surgir uma tal ocasião devem contorná-la até que a própria necessidade os obrigue, pois é necessário que ajamos muito melhor do que ensinam os pagãos, um dos quais afirma que a guerra não deve ser feita por outra finalidade senão para conseguir a paz. Convém, pois, buscar todos os meios possíveis antes de recorrer às armas.

Em resumo, em todo derramamento de sangue os governantes não devem se deixar levar por preferências, mas devem ser guiados pelo desejo do bem da nação, pois, de outro modo, abusam pessimamente de sua autoridade, a qual não lhes foi dada para sua utilidade particular, mas para servir aos demais.

Do fato de existirem guerras lícitas, segue-se que as guarnições, as alianças e munições do estado também são lícitas. Chamo de *guarnições* aos soldados que estão na fronteira para a conservação de toda a terra. Chamo de *alianças* às confederações que os príncipes das comarcas fazem entre si para ajudar-se mutuamente. Chamo de *munições civis* a todas as provisões que se fazem para o serviço da guerra.

Legitimidade e bom uso das taxas e dos impostos

Para concluir, parece-me conveniente acrescentar que os tributos e impostos que os príncipes impõem lhes são devidos por direito, se bem que tais recursos devam ser empregados no sustento e manutenção de seus estados, ainda que também possam usar deles licitamente para manter a autoridade e a majestade de sua casa que, de certa maneira, está unida à majestade do seu cargo. Vemos que assim o fizeram Davi, Ezequias, Josias, Josafá e os demais santos reis; inclusive José e Daniel viveram esplendidamente do bem público, conforme o requeria o estado a que foram elevados, sem experimentar, por isso, escrúpulos de consciência. Lemos também em Ezequiel que, por disposição de Deus, foram designadas aos reis grandes possessões (Ez 48,21). Se bem que nesta passagem se descreva o reino espiritual de Cristo que, sem dúvida, toma o padrão e modelo de um reino terreno, justo e legítimo.

Não obstante, os príncipes hão de ter na memória que seus domínios não são tanto suas arcas particulares quanto tesouros da comunidade, em cujo serviço hão de ser empregados, como o próprio Paulo declara (Rm 13,6). E por isso não os podem gastar prodigamente sem grave ofensa ao bem comum; ou, melhor dito, devem pensar que tais recursos são o próprio sangue do povo e que, não economizá-lo, é crudelíssima desumanidade. Além disso, hão de considerar que os impostos e todos os demais tributos não são, senão, subsídios da necessidade pública e que agravar o povo com eles, sem causa, não é, senão, uma tirania e um latrocínio.

Estas coisas, assim expostas, não dão asas aos príncipes para fazerem gastos desordenados – pois é evidente que não devem excitar, mais do que convém, seus apetites, já de si demasiado ardentes. Mas como é necessário que não empreendam nada senão com boa consciência diante de Deus, hão de saber o que lhes é lícito, a fim de que não tenham de prestar contas a Deus por gastarem mais do que o devido. E esta doutrina não é supérflua para as pessoas particulares, as quais, por ela, hão de aprender a não censurar nem a condenar os gastos dos príncipes, ainda que excedam a ordem e os limites comuns.

As leis, sua utilidade e necessidade – sua diversidade

Depois dos governantes vêm as leis, que são os verdadeiros nervos, como diz Cícero, depois de Platão, a alma de todos os estados; pois sem elas os governantes não podem de modo algum subsistir. Porque, ao contrário, elas são conservadas e mantidas pelos governantes, visto que, sem eles, elas não teriam força alguma. Por isso não se pode dizer coisa mais certa do que chamar à lei de magistrado mudo e ao magistrado de lei viva.

Minha promessa de expor as leis, pelas quais o estado há de reger-se, não pretende ser um longo tratado a respeito de quais são as leis melhores, pois uma tal disputa seria interminável e não está de acordo com o meu objetivo. Somente notarei, de passagem, de que leis pode o governante servir-se santamente, diante de Deus, e, ao mesmo tempo, conduzir-se justamente para com os homens. Inclusive, preferiria não tratar desse assunto; faço-o porque vejo que muitos erram perigosamente nessa questão. Porque há alguns que pensam que um Estado não pode ser bem governado se – deixada de lado a legislação mosaica – não se reger pelas leis comuns das demais nações. Quão perigosa e sediciosa seja esta opinião deixo-o à consideração de outros. A mim me basta provar que é falsa e fora de propósito.

Primeiramente temos de notar a distinção comum que divide a lei dada por Deus a Moisés em três partes: moral, cerimonial e judicial. Cada uma delas há de ser considerada em si mesma, para que compreendamos aquilo que se refere a nós e o que não se refere a nós. Porém, ninguém deve deter-se ante o escrúpulo de que os próprios juízos e cerimônias pertencem aos costumes. Porque os antigos, que fizeram esta distinção, ainda que não ignorassem que os juízos e cerimônias pertencem aos costumes, sem dúvida – como ambos podiam ser abolidos sem que se corrompessem os bons costumes –, por esse motivo, não chamaram a essas partes *morais,* mas atribuíram esse nome (= morais) à última parte, da qual depende a verdadeira integridade dos costumes e a regra imutável do bem-viver.

As leis morais, cerimoniais e judiciais no Antigo Testamento e hoje

Começaremos, pois, pela lei moral. Esta lei contém dois pontos principais, dos quais um, simplesmente, manda honrar a Deus com pura fé e piedade; o outro manda que, com amor e caridade, amemos aos homens. Por essa razão, esta lei é a verdadeira e eterna regra de justiça, ordenada para todos os homens em qualquer parte do mundo em que vivam, se desejam regular sua vida segundo a vontade de Deus, pois esta é a vontade eterna e imutável de Deus: que seja Ele honrado por todos nós e que nos amemos mutuamente uns aos outros.

A lei cerimonial tem servido de pedagogo aos judeus, ensinando-lhes, como a principiantes, uma doutrina infantil, que aprouve ao Senhor dar a este povo, como uma educação de sua infância, até que viesse o tempo da plenitude, na qual haveria Ele de manifestar as coisas que, por então, haviam sido figuradas entre sombras (Gl 3,24; 4,4).

A lei judicial, que lhes foi dada como forma de governo, ensinava-lhes certas regras de justiça e equidade para viverem em paz uns com os outros, sem causar dano algum.

E assim como o exercício das cerimônias pertencia à doutrina da piedade, que é o primeiro ponto da lei moral – uma vez que alimentava a Igreja Judaica na reverência devida a Deus. Todavia, era ela distinta da verdadeira piedade. Do mesmo modo, ainda que sua lei judicial não tivesse outro fim senão o de conservar essa mesma caridade que se ordena na Lei de Deus, ainda assim tinha uma propriedade distinta e peculiar, que não ficava compreendida sob o mandamento da caridade. Portanto, assim como foram abolidas as cerimônias, ficando em pé, integralmente, a verdadeira piedade e religião, do mesmo modo as referidas leis judiciais podem ser mudadas e ab-rogadas sem violar, de maneira alguma, a lei da caridade. E se isso é verdade – como de fato o é –, foi deixada, a todos os povos e nações, a liberdade para fazerem as leis que lhes parecessem necessárias. Leis que, sem dúvida, estão de acordo com a lei eterna da caridade; de modo que, diferenciando-se só na forma, todas tendem para um mesmo fim, pois sou do parecer de que não se devam ter, por leis, não sei que bárbaras e desumanas disposições, como eram as que remuneravam os ladrões com certo preço; como eram as que permitiam, indiferentemente, a companhia de homens e mulheres e outras ainda piores e muito mais absurdas e detestáveis, visto que não somente são alheias e estranhas a toda justiça, mas também a toda humanidade.

A equidade e a ordenação das leis

O que eu tenho dito se entenderá claramente se, em todas as leis, considerarmos as duas coisas seguintes: a ordenação da lei e a equidade sobre a qual a ordenação pode se fundar.

A equidade, como é coisa natural, é sempre a mesma para todas as nações. Portanto, todas as leis que existem no mundo, referentes ao que quer que seja, devem convir a essa equidade.

Quanto às constituições e ordenanças – como estão ligadas às circunstâncias das quais, de certo modo, dependem –, não há nenhum inconveniente em que sejam diversas. Porém, todas elas devem tender para o mesmo ponto de equidade.

E visto que a Lei de Deus, a que nós chamamos moral, não é outra coisa senão um testemunho da lei natural e da consciência que o Senhor imprimiu no coração de todos os homens, não há dúvida de que essa equidade – da qual agora estamos falando – fica mui bem declarada nessa lei. Assim, pois, essa equidade há de ser o único ponto, regra e fim de todas as leis.

Portanto, todas as leis que estiverem de acordo com essa regra, que tenderem para esse ponto e que permanecerem dentro desses limites não devem desagradar-nos, ainda que divirjam da lei de Moisés ou divirjam entre si. A Lei de Deus proíbe roubar e pode-se ver, no Êxodo, que penalidade se estabelecia na legislação judaica contra os ladrões (Ex 22,1). As mais antigas leis, das demais nações, castigavam o ladrão, fazendo-o pagar o dobro do que havia roubado. As leis posteriores estabeleceram diferença entre o latrocínio público e privado. Outras têm determinado o desterro dos ladrões; outras o seu açoite, e outras inclusive prescrevem a morte.

A Lei de Deus proíbe o falso testemunho. Aquele que, entre os judeus, proferisse um falso testemunho, era castigado com a mesma pena com que deveria ser castigado o que era falsamente acusado de ser culpado (Dt 19,19). Em algumas nações essa pena não era mais do que uma desonra pública; em outras, era a de enforcamento; em outras era a crucificação.

A Lei de Deus proíbe o homicídio. Todas as leis do mundo, em consenso comum, castigam, com a morte, o homicida, ainda que não o façam com o mesmo gênero de morte.

Contra os adúlteros, nalguns países as leis eram mais severas do que noutros. No entanto, vemos que, não obstante toda essa diversidade de castigos, todas as leis visavam ao mesmo fim, porque todas, de comum acordo, determinam o castigo contra as coisas que, na lei, são condenadas, a saber: homicídios, furtos, adultérios e falsos testemunhos. Mas não concordam quanto ao gênero de castigo, porque não é necessário, nem tampouco conveniente. Há países que estariam cheios de homicídios e latrocínios se neles não se impusessem severos castigos aos homicidas. Há ocasiões que exigem que os castigos sejam aumentados. Se em algum país ocorre a desordem ou a revolta, será preciso corrigir, com novos editos, os males que daí possam originar-se. Em tempo de guerra os homens se esqueceriam de todo sentimento de humanidade se lhes fosse retirado o freio que consiste em castigar seus excessos. Mesmo assim, em tempo de peste ou de fome tudo andaria confuso se não se empregasse maior severidade. Algumas nações têm necessidade de ser gravemente corrigidas de determinado vício, para o qual estão mais inclinadas do que outros países. Aquele que se ofendesse por causa de uma tal diversidade – muito adequada para se manter a observância da Lei de Deus –, não deveria ele ser julgado um perverso e invejoso do bem público?

A objeção de alguns – que dizem que se faz ofensa à Lei de Deus dada por Moisés quando, abolindo-a, preferem-se a ela outras leis novas –, é coisa inteiramente vã, uma vez que não são preferidas como simplesmente melhores, mas por causa da condição e circunstâncias de tempo, de lugar e de país.

Além disso, ao agirmos assim não abolimos a Lei de Deus, visto que ela nunca foi promulgada para nós, que procedemos dos gentios. Porque nosso Senhor não a deu, pelo ministério de Moisés, para que fosse promulgada a todas as nações e povos, nem para que fosse observada por todo o mundo, mas sim porque havendo Deus recebido, de modo especial, o povo judeu sob sua proteção, amparo e defesa, quis, também, ser seu legislador particular. E como convinha a um legislador bom e sábio, em todas as leis que lhes deu teve presente a utilidade e proveito do povo.

O povo – Como e com que espírito podem os particulares recorrer à lei

Resta agora examinar o que propusemos em último lugar: que proveito o estado cristão recebe das leis, dos julgamentos e magistrados? A isto vai unida esta outra questão: Em que honra e estima hão os particulares de ter a seus magistrados e governantes, e até onde deve chegar a obediência a eles?

São muitos os que pensam que a vocação do magistrado é inútil entre os cristãos. Porquanto não lhes é lícito recorrer a eles, uma vez que lhes está proibido vingar-se, exercer violência e pleitear. Porém, ao contrário, São Paulo afirma, clarissimamente, que o magistrado é, para nós, ministro para o bem (Rm 13,4). Por isso entendemos que a vontade de Deus é que, com o poder e assistência do magistrado, sejamos defendidos e amparados contra a maldade e a injustiça dos iníquos, e vivamos tranquilamente sob sua proteção e amparo, pois os magistrados nos teriam sido dados em vão, por Deus, se não nos fosse lícito usar de tal benefício. Portanto, segue-se, evidentemente, que, sem ofensa, podemos requerer e pedir a ajuda deles.

Porém, tenho de tratar com dois tipos de gente, pois são muitos os que sentem tanto prazer em pleitear que, se não estiverem enredados em contendas com outros, jamais estarão tranquilos. Além disso nunca começam seus pleitos senão com um ódio mortal e com um apetite desordenado de provocar danos e vingar-se; perseguem seus adversários com dura obstinação até destruí-los. Ao mesmo tempo, a fim de parecerem que fazem tudo justamente, defendem sua perversidade à sombra e sob pretexto de que servem à justiça. Não se segue, portanto, que o fato de alguém poder obrigar seu próximo a cumprir o seu dever, mediante a aplicação da justiça, lhe assegura também o direito de aborrecê-lo, desejar-lhe o mal e persegui-lo obstinadamente sem misericórdia.

Segue-se o mesmo tema

Aprenda, pois, essa gente, esta verdade: Que os tribunais são lícitos àqueles que deles usam retamente, e que ambas as partes (envolvidas em litígio) podem deles servir-se legitimamente, tanto o que acusa quanto o acusado. Primeiramente, é lícito ao que pede justiça – se foi injustamente tratado ou oprimido, quer seja em seu corpo, quer em seus bens –, ser colocado sob a proteção do magistrado, manifestando-lhe sua queixa, formulando sua petição justa e verdadeira, sem desejo algum de vingança nem de provocar dano, sem ódio nem rancor, nem desejo algum de litigar, mas, ao contrário, dispondo-se a perder do que é seu e a sofrer a ofensa, ao invés de conceber ira e ódio contra seu adversário.

Em segundo lugar, é lícito ao que se defende – sendo citado – comparecer no dia que lhe foi determinado e defender sua causa com os melhores procedimentos e razões possíveis, sem qualquer rancor, senão com o simples desejo de conservar, com justiça, aquilo que é seu.

Ao contrário, se os corações estão cheios de ódio, corrompidos pela inveja, inflamados de ira, movidos pela vingança ou por qualquer outro sentimento, e de tal forma irritados, que a caridade sofra prejuízo, todos os procedimentos – mesmo nas causas mais justas do mundo – não podem ser, senão, iníquos e injustos.

Porque há de se ter por certo, de todo, entre os cristãos, que ninguém pode mover processo contra outro, por melhor e mais justa que seja a causa, se não tiver, para com a parte contrária, o mesmo afeto e benevolência que teria se o assunto – motivo do litígio – tivesse sido resolvido amistosamente.

Alguém poderia replicar a isto, que está tão longe de existir, nos pleitos, semelhantes moderação e temperança que se por acaso acontecesse de alguém possuir essas virtudes, seria tido por monstro. Admito, certamente, que de acordo com a atual perversidade dos homens não é possível encontrar muitos que, em seus pleitos, procedem retamente. Sem dúvida, a coisa não deixa de ser boa e pura pelo fato de estar contaminada por elementos estranhos.

Além disso, quando ouvimos dizer que a ajuda e assistência do magistrado é um santo dom de Deus, devemos, com maior razão, guardar-nos diligentemente para não conspurcá-lo com algum vício nosso.

Recorrer à proteção da lei é legítimo ao cristão

Porém, os que simplesmente, e de todo, condenam as controvérsias levadas aos tribunais, devem compreender que resistem a uma santa ordenação de Deus e a dom dentre aqueles [dons] que podem ser limpos para os limpos. A não ser que prefiram acusar São Paulo de crime – por resistir e desfazer as mentiras e calúnias de seus acusadores, inclusive pondo a descoberto seus enganos e suas maldades; e, de estando [Paulo] em juízo, acusá-lo de servir-se do privilégio de ser cidadão romano e de apelar, quando teve necessidade, da injusta sentença do presidente, para que sua causa fosse ouvida diante do imperador (At 22,1-25; 24,10; 25,10-11).

E não se opõe [a este direito] a proibição, feita a todos os cristãos, de alimentarem desejos de vingança, desejos que queremos ver bem longe dos pleitos dos cristãos. Porque, se é de natureza civil a causa que pleiteiam, não vai por bom caminho senão aquele que, com retidão e simplicidade, defere seu negócio ao juiz, como a público tutor e protetor, o qual não pensa em nada senão em devolver mal por mal, o que é um sentimento de vingança. E se se trata de uma causa criminal, não aprovo nenhum acusador senão aqueles que comparecem perante o juiz sem serem movidos pelo ardor da vingança e sem darem-se por ofendidos por seu agravo particular, mas somente com o desejo de impedirem a maldade de quem os acusa e destruir suas artimanhas, a fim de que não se prejudique a ordem pública. Se não há desejo de vingança, não se age contra o mandamento que, aos cristãos, proíbe a vingança.

Se alguém objetar que ao cristão não somente se proíbe o desejar a vingança, mas também se lhe manda esperar a ajuda do Senhor – que promete socorrer os aflitos e oprimidos e que, portanto, os que pedem, para si ou para os outros, a ajuda do magistrado, antecipam a vingança de Deus –, a isto respondo que não é assim, pois deve pensar-se que a vingança do magistrado não é do homem, mas de Deus, vingança que, como diz São Paulo, Deus executa pelo ministério dos homens e para seu bem (Rm 13,4).

A magistratura não se opõe ao mandamento de Deus

Tampouco nos opomos às palavras de Cristo – palavras com as quais proíbe resistir ao mal e manda apresentar a face direita a quem nos tiver ferido a esquerda; com as quais nos manda dar também a capa a quem nos quer tirar a túnica (Mt 5,39-40). É certo que, com isso, Ele exige que o coração dos fiéis renuncie ao desejo de vingança, e que eles prefiram que a ofensa lhes seja dobrada a pensarem em retribuí-la, paciência esta da qual nós também não nos apartamos. Porque aos cristãos é necessário ser como um povo nascido e criado para sofrer ofensas e afrontas, e ser exposto à maldade, ao engano e à zombaria dos ímpios. E não somente isto, mas também é preciso que sofram com paciência todo mal que lhes fizeram, isto é, que tenham o seu coração disposto de tal maneira que, ao receberem uma ofensa, estejam preparados para outra, não se propondo outra coisa no mundo a não ser carregar a sua cruz. Enquanto isso devem fazer bem a seus inimigos, orar pelos que os maldizem, esforçando-se em pagar o mal com o bem (Rm 12,14-21), pois nisto consiste a única vitória do cristão. Quando suas paixões estiverem assim mortificadas, não pedirão "olho por olho e dente por dente" (Mt 5,38), como os fariseus que ensinavam seus discípulos a buscarem a vingança. Porém, como nos ensina Cristo, de tal maneira sofrerão as ofensas que se fizerem a seus corpos ou a seus bens, que estarão prontos a perdoar sem demora (Mt 5,39).

Por outro lado, essa mansidão e moderação não impedirão que, guardando e conservando sua inteira amizade para com os seus adversários, se sirvam do socorro do magistrado para conservar o que têm ou, que, por amor ao bem comum, exijam que os ímpios e malvados sejam castigados, visto que só com o castigo podem ser corrigidos.

Santo Agostinho interpreta mui bem esses preceitos, dizendo que todos eles tendem para o fim segundo o qual o homem piedoso e justo esteja preparado para sofrer a malícia dos que Deus deseja que sejam bons, e isto para que seu número cresça mais, ao invés de ele se juntar à companhia dos malvados. Em segundo lugar, que isso pertence mais à preparação interna do coração do que à preparação da obra externa, a fim de que, dentro do coração, tenhamos paciência, amando a nossos inimigos. Enquanto isso, façamos, externamente, o que sabemos ser útil à salvação daqueles a quem devemos amar.

Tampouco contradiz as exortações de São Paulo

Pode-se ver que é falsa, pelas próprias palavras do apóstolo, a objeção que comumente apresentam, objeção segundo a qual Paulo condena toda espécie de pleito. Pelas palavras do apóstolo se compreende facilmente que, entre os coríntios, existia um veemente e excessivo ardor por discutir e pleitear (1Cor 6,6), excesso a tal ponto que deu, aos infiéis, ocasião de maldizer o Evangelho e toda religião cristã. É isso que Paulo repreende neles, primeiramente, pois, com sua intemperança e suas disputas nos pleitos difamavam o Evangelho entre os infiéis. E os repreende, também, porque de tal modo querelavam entre si irmãos contra irmãos – e estavam tão longe de sofrer a ofensa –, que, inclusive, uns desejavam os bens dos outros. Portanto, é contra esse desordenado apetite de disputar e pleitear que São Paulo fala, e não simplesmente contra a controvérsia.

E afirma ser mau o não tolerar o dano e a perda dos bens e, esforçando-se por conservá-los, chegar a disputas e debates e, inclusive, é mau chegar a esse ponto por causa de perda insignificante ou dano que lhes fosse causado para, sem mais nem menos, meter-se num processo. Afirma que esse procedimento é sinal de que se irritam mui facilmente e, por conseguinte, revela que são mui impacientes. A isso se resume o que Paulo diz.

Certamente os cristãos devem preferir perder o que é seu, de direito, a ir à justiça, de onde dificilmente poderão sair senão com o coração cheio de indignação e inflamado de ira contra seu irmão. Porém, quando alguém vê que pode defender seus bens sem provocar dano ou ferir a caridade, ao agir assim não vai contra o que São Paulo diz e, sobretudo, se o negócio é de grande importância e sua perda é causa de muito prejuízo.

Em suma: como dissemos a princípio, a caridade aconselhará mui bem, a cada um, a respeito do que deve fazer. Ela é tão necessária em todas as disputas e contendas, que são ímpios e malditos todos quantos a violam ou ferem.

O respeito às autoridades

O primeiro dever e obrigação dos súditos para com seus superiores é ter em grande estima e reputação a condição deles, reconhecendo-a como um comissionamento [que lhes foi] confiado por Deus. Por esta razão devem honrá-los e reverenciá-los como vigários e lugares-tenentes de Deus, pois vereis que alguns se mostram muito obedientes aos magistrados, e gostariam que não houvesse superiores aos quais devessem estar sujeitos, mas os obedecem por reconhecerem ser necessário ao bem comum. Na verdade, porém, não estimam ao magistrado mais do que a um mal necessário, do qual o gênero humano não pode prescindir. São Pedro, no entanto, exige muito mais de nós quando nos manda que honremos ao rei (1Pd 2,17); e Salomão nos manda que temamos a Deus e ao rei (Pr 24,21). Porque São Pedro, sob a palavra *honrar*, compreende a boa opinião e estima que, deseja ele, tenhamos dos reis; e Salomão, ao associar os reis com Deus, lhes atribui grande dignidade e reverência.

O apóstolo São Paulo também dá, aos superiores, um título mui honroso, quando diz que todos devemos estar sujeitos a eles não apenas por causa do temor do castigo, mas, também, por causa da consciência (Rm 13,5). Por isso entende ele que os súditos devem sentir-se movidos a reverenciar seus príncipes e governantes não só pelo medo de serem castigados por eles – como ocorre com os mais fracos que cedem à força do inimigo, quando veem o que lhes acontecerá se resistirem –, mas também devem obedecer a eles por temor a Deus mesmo, visto que o poder dos príncipes lhes foi dado por Deus.

Não adianta discutir aqui a respeito da qualidade das pessoas, como se uma máscara de dignidade devesse encobrir toda loucura, desvario e crueldade, sua má disposição e toda sua maldade e, desse modo, os vícios deveriam ser tidos e louvados como virtudes. Afirmo apenas que o estado ou condição de superior é, por sua natureza, digno de honra e reverência, de modo que devemos honrar e reverenciar, pelo ofício que desempenham, todos quantos presidem.

A obediência devida aos superiores

Disto segue-se outra coisa: que ao termos para com eles tanta honra e estima, devemos estar-lhes sujeitos com toda obediência, quer obedecendo às suas ordens e constituições, quer pagando os impostos ou, ainda, sustentando algum encargo público que se refira à defesa comum, ou obedecendo a certos mandatos. "Submete-se toda pessoa às autoridades superiores", diz São Paulo; "quem se opõe à autoridade, resiste ao estabelecido por Deus" (Rm 13,1-2). E, a Tito, escreve estas palavras: "Lembra-lhes que se sujeitem aos que governam, às autoridades; que obedeçam e estejam dispostos a toda boa obra" (Tt 3,1). São Pedro diz também: "Por causa do Senhor, submetei-vos a toda instituição humana, quer seja ao rei, como superior, quer aos governantes, como por Ele enviados para castigo dos malfeitores e louvor dos que fazem o bem" (1Pd 2,13-14).

Além disso, para que os súditos demonstrem que não obedecem fingidamente, mas de boa vontade, São Paulo acrescenta que, em suas orações, devam pedir a Deus a conservação e prosperidade daqueles sob os quais vivem: "Antes de tudo, exorto", diz Paulo, "que se façam súplicas, orações e intercessões, ações de graça por todos os homens; pelos reis e por todos os que estão em eminência, para que vivamos quieta e repousadamente" (1Tm 2,1-2).

Que ninguém se engane aqui. Porque como não se pode resistir ao magistrado sem que, ao mesmo tempo, se resista a Deus – ainda que a algum pareça que pode enfrentar o magistrado e sair-se bem porque o magistrado não é tão forte; não obstante, Deus é muito mais forte e está perfeitamente armado para vingar o menosprezo de sua ordenança.

Além disso, sob o nome de *obediência* compreendo a modéstia que todos os particulares hão de guardar no que se refere às questões do bem comum, isto é, não devem intrometer-se em negócios públicos, não censurar temerariamente o que faz o magistrado e não intentar coisa alguma em público. Se no governo há alguma coisa que corrigir, não se deve fazer com escaramuças nem atribuir-se a faculdade de impor ordem, nem pôr mãos à obra, as quais devem permanecer atadas ao respeito. Deve-se dar notícia disso ao magistrado, pois só ele tem as mãos livres para intervir no bem público. Entendo que os súditos não devam fazer nenhuma dessas coisas, a menos que sejam mandados, pois quando têm mandato de um superior, têm autoridade pública. Porque assim como aos conselheiros do príncipe se costuma chamar de *seus olhos* e *seus ouvidos* – pois o príncipe os destinou à tarefa de observar, de ouvir e de avisar –, assim também podemos chamar de *mãos do príncipe* àqueles que ele constituiu para executar o que se deve fazer.

Os magistrados infiéis à sua vocação

E como até agora descrevemos o magistrado tal como ele deve ser ou como deve ele, verdadeiramente, corresponder ao seu título, isto é, ser o pai da pátria que governa, pastor do povo, guarda da terra, mantenedor da justiça, conservador da inocência, com toda razão será tido por insensato aquele que quiser se opor ao seu domínio.

Mas, como acontece ordinariamente que a maioria dos príncipes anda mui longe do verdadeiro caminho – deixando uns de preocupar-se com coisa alguma de seu dever, outros adormecendo nos prazeres e deleites e outros deixando dominar-se pela avareza –, e põem à venda todas as leis, privilégios, direitos e julgamentos; outros saqueiam o pobre povo para prover seus gastos supérfluos e injustificados; e outros, simplesmente, se dedicam ao bandoleirismo, saqueando casas, violando donzelas e mulheres casadas e matando inocentes, não é fácil convencer a muitos de que os tais hão de ser tidos por príncipes e que devem ser obedecidos o quanto possível. Porque, quando em meio a tantos e tão enormes vícios, alheios não somente ao ofício de governante, mas inclusive, alheios a todo sentido de humanidade, os súditos não veem, nos superiores, mostra alguma da imagem de Deus que deve resplandecer em todo governante, e não veem indício algum de um ministro do Senhor – que foi estabelecido para aprovar os bons e castigar os maus –, não reconhecem nele aquele superior cuja autoridade e dignidade a Escritura nos recomenda. E, certamente, no coração dos homens, o sentimento de aborrecimento e ódio aos tiranos não tem estado menos arraigado do que o amor aos reis justos, que cumprem com o seu dever.

Os governantes indignos são um castigo de Deus

Contudo, se pusermos nossos olhos na Palavra de Deus, ela nos levará mais adiante, porque nos fará obedecer não somente aos príncipes que cumprem retamente com o seu dever e obrigações, mas, também, àqueles que têm alguma preeminência, mesmo que não façam o que devem, conforme exige o seu cargo. Porque ainda que o Senhor declare que o governante é um dom singular de sua liberalidade – dado para a conservação da felicidade dos homens, tendo-lhes, inclusive, ordenado o que devem fazer –, não obstante afirma que, juntamente com isto, seja como for, os governantes não têm o poder de ninguém mais, senão o poder que vem dele, e isto de tal forma que eles não têm outro cuidado senão o do bem público e são como verdadeiros espelhos e exemplos da bondade de Deus. Por outro lado, os que governam injusta e violentamente são colocados por Deus para castigo do povo. No entanto, uns e outros têm a majestade e a dignidade que ele tem dado aos legítimos governantes.

Não irei mais adiante, senão, depois de haver citado algumas passagens da Escritura que confirmam o que digo. Não é necessário fazer muito esforço para provar que um mau rei [ou governante] é a ira de Deus sobre a terra (Jó 34,30; Os 13,11; Is 3,4; 10,5); creio que todos sabem isso e não há quem contradiga. Ao fazê-lo não falamos mais de um rei do que de um ladrão, que rouba nossos bens, ou de um adúltero que toma a mulher de outro, ou de um homicida que nos procura matar, visto que todas estas calamidades constam do decálogo das maldições de Deus, na lei (Dt 28,19). Porém, devemos insistir mais em provar e demonstrar aquilo que não pode entrar tão facilmente no entendimento humano, ou seja, que um homem perverso e indigno de qualquer honra – se está revestido da autoridade pública – tem em si, apesar de tudo, a mesma dignidade e poder que o Senhor, por sua Palavra, deu aos ministros de sua justiça. E os súditos, por sua vez, lhe devem – no que se refere à obediência devida ao superior – a mesma reverência que dariam a um bom rei, se o tivessem.

As autoridades ficam submetidas à providência e ao poder de Deus

Primeiramente, admoesta-se aos leitores a que, diligentemente, considerem e observem a providência de Deus e a operação especial de que se serve Ele ao distribuir os reinos e estabelecer os reis [ou autoridades] que lhe aprazem, fato do qual a Escritura faz menção muitas vezes. Assim, em Daniel está escrito: "Ele muda os tempos e as idades; tira reis e estabelece reis" (Dn 2,21.37). E, "a fim de que os viventes conheçam que o Altíssimo é poderoso sobre os reinos dos homens, Ele os dará a quem quer" (Dn 4,17). Tais sentenças, ainda que bem frequentes na Escritura, são, não obstante, repetidas de maneira muito particular nesta profecia de Daniel.

É sabido que rei foi Nabucodonosor, o que tomou Jerusalém: certamente foi um grande ladrão e saqueador. Sem dúvida [no entanto], o Senhor afirma, por meio do Profeta Ezequiel, que ele lhe havia dado a terra do Egito como pagamento pelo trabalho com que o serviu, destruindo-a e saqueando-a (Ez 29,19-20). E Daniel diz: "Tu, ó rei, és rei dos reis; porque o Deus dos céus te tem dado reino, poder, força e majestade. E onde quer que habitam filhos de homens, bestas do campo e aves do céu, Ele os tem entregue em tua mão, e te tem dado o domínio sobre tudo" (Dn 2,37-38). E o mesmo Daniel disse a Baltazar, filho de Nabucodonosor: "O Deus altíssimo, ó rei, deu a Nabucodonosor, teu pai, o reino e a grandeza, a glória e a majestade. E pela grandeza que lhe deu, todos os povos, nações e línguas tremiam diante dele" (Dn 5,18-19). Quando ficamos sabendo que foi Deus quem o constituiu rei devemos, de uma vez, trazer à memória a disposição celestial que nos manda temermos e honrar-mos o rei, e assim não duvidaremos em dar, a um maldito tirano, a honra com que o Senhor houve por bem adorná-lo.

Quando Samuel anunciou ao povo de Israel o que havia ele de sofrer, por parte de seus reis, lhe disse: "Assim fará o rei que reinará sobre vós: tomará vossos filhos e os porá em seus carros, e como seus cavaleiros, para que corram adiante deles; e nomea-rá para si chefes de mil e chefes de cinquenta; outros para lavrarem seus campos e ceifarem suas messes; outros para fabricarem suas armas de guerra e os apetrechos de seus carros. Tomará também vossas filhas para serem perfumistas, cozinheiras e padei-ras. Tomará o melhor das vossas lavouras e de vossas vinhas e dos vossos olivais, e os dará a seus servos. Dizimará o vosso grão e as vossas vinhas para dar a seus oficiais e a seus servos. Tomará vossos servos e vossas servas, vossos melhores jovens e vossos ju-mentos e com eles fará suas obras. Dizimará também vossos rebanhos e sereis seus servos" (1Sm 8,11-17). Certamente os reis não podiam fazer isto justamente, visto que a lei os ensinava a guardar toda temperan-ça e sobriedade (Dt 17,16s.). Porém, Samuel chama ao rei de *autoridade* sobre o povo, porquanto era ne-cessário obedecer a ele, e não era lícito resistir. Era como se dissesse: a cobiça do rei o levará a praticar todas estas desordens, que vós não tereis autorida-de para reprimir. Porquanto, vosso dever será ouvir suas ordens e obedecer a ele.

Mesmo assim exigem nossa obediência

Contudo, em Jeremias há uma passagem mais notável do que as outras. Ainda que um pouco longa, será bom citá-la aqui, pois ela elucida claramente esta questão: "Eu", diz o Senhor, "fiz a terra, o homem e os animais que estão sobre a face da terra, com meu grande poder e com meu braço estendido, e a dei a quem quis. E agora eu pus todas estas terras na mão de Nabucodonosor, rei da Babilônia, meu servo, e até os animais do campo lhe dei para que o sirvam. E todas as nações servirão a ele, a seu filho e ao filho do seu filho, até que venha também o tempo de sua própria terra, e a reduzam à servidão muitas nações e grandes reis. E à nação e ao reino que não servir a Nabucodonosor, rei da Babilônia, e que não puser seu pescoço debaixo do jugo do rei da Babilônia, a tal nação eu castigarei com espada, com fome e com pestes, diz Jeová, até que eu a acabe com sua mão. Servi ao rei da Babilônia e vivereis" (Jr 27,5-8.17).

Por estas palavras compreendemos com quão grande obediência quis Deus fosse honrado aquele cruel e perverso tirano, não por outra causa senão porque possuía o reino. Essa posse, por si só, mostrava que ele havia sido colocado em seu trono por disposição de Deus, e por ela era elevado à majestade real, que não era lícito violar. Se estamos bem convencidos desta sentença, e a temos bem fixa em nossos corações, a saber, que pela própria disposição de Deus – pela qual é estabelecida a autoridade dos reis – também os reis iníquos ocupam sua autoridade, jamais nos virão à imaginação esses loucos e sediciosos pensamentos de que um rei deve ser tratado como merece, e que não é razoável que devamos ser submissos a quem, de seu lado, se mantém como rei contra nós.

Segue-se o mesmo tema

Em vão se objetará que esse mandato foi dado particularmente ao povo de Israel, pois é necessário considerar a razão em que se funda. Eu dei, diz o Senhor, o reino a Nabucodonosor. Portanto, estai-lhe sujeitos e vivereis (Jr 27,17). Não há dúvida, portanto, de que se deva obediência e submissão a qualquer um que seja superior. Assim, quando o Senhor eleva alguém ao poder, nos declara que sua vontade é que reine e que mande, pois a Escritura dá um testemunho geral a respeito disso. Assim é no capítulo vinte e oito dos Provérbios, quando diz: "Pela rebelião da terra seus príncipes são muitos" (Pr 28,2). E Jó, no capítulo doze: "Ele rompe as cadeias dos tiranos e lhes cinge uma corda aos lombos" (Jó 12,18). Admitido isto não nos resta outra coisa senão que os sirvamos, se quisermos viver.

Também no Profeta Jeremias há outro mandato de Deus, pelo qual ordena ao seu povo que procure a prosperidade de Babilônia, na qual estavam cativos, e manda que orem por ela, porque sua paz depende dela (Jr 29,7). Vemos, portanto, como Deus manda os israelitas orarem pela prosperidade daqueles que os haviam vencido, ainda que lhes tivessem tirado todos os bens, ainda que os tivessem expulso de suas casas, desterrado de sua pátria, levado para terra estranha e submetido a miserável servidão. E não somente os manda orar por eles, mas os manda orar pelos nossos perseguidores, e orar para que seu reino floresça em paz e quietude, e eles [os israelitas] vivam em paz, [embora] submetidos a seus vencedores.

Por essa razão Davi, já eleito rei por ordem de Deus e ungido com azeite santo – ainda que Saul o perseguisse sem que lhe tivesse dado motivo –, não obstante considerava sagrada a cabeça de seu perseguidor, pois o Senhor o havia santificado, honrando-o com a majestade real. "Jeová me guarde", dizia Davi, "de fazer tal coisa contra meu Senhor, o ungido de Jeová, que eu estenda minha mão contra ele, porque é ungido de Jeová". E mais: Quem estenderá sua mão contra o ungido de Jeová e será inocente? Vive Jeová, que se Jeová não o ferir, ou chegar o dia de sua morte, ou, em descendo à batalha, pereça, guarde-me Jeová de estender minha mão contra o ungido de Jeová" (1Sm 24,6; 26,9-10).

Todos devemos a nossos superiores – enquanto dominam sobre nós –, uma tal afeição de reverência, como a de Davi, ainda que sejam maus. Repito isto muitas vezes, para que aprendamos a não andar investigando, excessivamente, a respeito de que tipos de pessoas são aquelas às quais devemos submeter-nos e obedecer, mas, ao contrário, devemos contentar-nos com saber que, pela vontade de Deus, estão colocadas naquele estado, ao qual Deus conferiu uma majestade inviolável.

Alguém, porém, dirá que, por parte dos superiores, existe um dever para com os súditos. Já reconheci isso. Mas, se alguém quiser concluir daí que não se deve obedecer senão ao senhor justo, usaria muito mal o argumento. Porque os maridos e os pais têm uns deveres determinados para com suas mulheres e filhos, e se acontece que não cumpram com esses deveres como é devido – ou seja porque os pais tratem rudemente os filhos, injuriando-os com cada palavra, contra o que ordena São Paulo, que não os provoquem à ira (Ef 6,4), ou que os maridos menosprezem e atormentem a suas mulheres, às quais, por mandamento de Deus, devem amar e cuidar como a vasos frágeis (Ef 5,25; 1Pd 3,7) –, poderiam, por isso, os filhos deixar de obedecer a seus pais e as mulheres a seus maridos? Evidentemente, não, visto que, pela Lei de Deus, lhes estão sujeitos, ainda que sejam maus e iníquos para com eles.

Portanto, ninguém deve levar em conta como o outro cumpre o seu dever, mas deve ter sempre em mente, e diante dos olhos, o que ele mesmo deve fazer para cumprir com o seu próprio dever. Principalmente aqueles que estão submissos a outros é que devem fazer estas considerações. Portanto, se somos cruelmente tratados por um príncipe desumano; se somos saqueados por um príncipe avarento e pródigo; ou se somos menosprezados e desamparados por um príncipe negligente ou afligidos por um príncipe sacrílego, por causa da confissão do nome do Senhor, lembremo-nos, primeiramente, das ofensas que temos cometido contra Deus, ofensas que, sem dúvida, são corrigidas com tais açoites [que sofremos de tais príncipes]. Daí nos virá a humildade para refrear nossa impaciência. E, em segundo lugar, pensemos que não está em nossas mãos o remediar esses males, e que não nos resta outra coisa senão implorar a ajuda do Senhor, em cujas mãos estão o coração dos reis e as mudanças dos reinos. É Deus quem se sentará no meio dos deuses e os julgará (Dn 9,7; Pr 21,1; Sl 82,1). É Deus, diante de cujos olhos cairão por terra, e serão abatidos, os que não tiverem honrado a Cristo (Sl 2,9), e tiverem feito leis injustas "para negarem justiça aos pobres, para arrebatarem o direito aos aflitos, despojarem as viúvas e roubarem os órfãos" (Is 10,2).

Sem o saber, tais governantes indignos executam a vontade de Deus

Nisto se mostra sua maravilhosa bondade, poder e providência, pois, algumas vezes, Ele, manifestamente, levanta alguns de seus servos e os arma com o seu mandamento para castigar a tirania daquele que domina injustamente, e livrar, da calamidade, o povo iniquamente oprimido. Outras vezes, para realizar seus propósitos, muda o furor dos que pensavam coisa muito diferente, e mesmo contrária.

Exemplos do primeiro modo ocorreram quando Deus livrou o povo de Israel da tirania do faraó por meio de Moisés (Ex 3,8), e quando, por meio de Otoniel, o livrou da sujeição de Cusã, rei da Síria (Jz 3,9 e capítulos seguintes); e quando, por meio de outros muitos reis e juízes, o livrou de outras diversas servidões.

Exemplos do segundo modo ocorreram quando reprimiu o orgulho de Tiro por meio dos egípcios; a insolência dos egípcios por meio dos assírios e a ferocidade dos assírios pelos caldeus; quando domou a presunção da Babilônia por meio dos medos e persas, depois de submeter a Ciro os medos; quando puniu a ingratidão dos reis de Judá e Israel e sua ímpia rebeldia contra tantos benefícios, umas vezes a abateu por meio dos assírios e outras por meio dos babilônios. Assim, uns como outros eram ministros e executores da justiça de Deus; não obstante, há grande diferença: na verdade, os primeiros [Moisés e Otoniel], como foram chamados por Deus por legítima vocação para tais empreendimentos, não violavam a majestade real que Deus ordenou, quando tomaram das armas contra os reis; porém, armados que foram por Deus, corrigiam o poder menor com o maior, nem mais nem menos como é lícito aos reis castigar os nobres. Os segundos [egípcios, assírios, caldeus, medos e persas], na verdade, ainda que fossem guiados pela mão de Deus para fazerem o que Ele determinara, faziam a vontade de Deus sem o saber. Não obstante, em seus corações não tinham outra intenção e pensamento senão fazer o mal.

Em que medida e como resistir à tirania de certas autoridades

Porém, ainda que esses atos – no que diz respeito aos que os praticavam – fossem diferentes, visto que uns atuavam estando certos e seguros de que agiam bem, e os outros agiam com um desígnio muito diferente, conforme está exposto, sem dúvida nosso Senhor, tanto por meio de uns como por meio de outros, realizava sua obra, quebrando o cetro dos reis maus e lançando por terra os senhorios intoleráveis.

Considerem bem, pois, os príncipes estas coisas, e tremam. Nós, de nossa parte, guardemo-nos sobretudo de menosprezar e violar a autoridade de nossos superiores e governantes, autoridade que deve ser sacrossanta para nós e cheia de majestade, já que Deus a estabeleceu com tão graves editos, e assim devemos agir, mesmo quando a autoridade é exercida por pessoas indignas, pessoas que, com sua maldade, maculam a autoridade no que delas depende. Porque ainda que a correção e o castigo sejam a vingança de Deus contra o mando desordenado, não se segue, nem por isso, que Deus nos permita a vingança e a ponha nas mãos daqueles a quem ordenou nada mais do que obedecer e sofrer.

Refiro-me sempre a pessoas particulares, pois se agora houvesse autoridades ordenadas particularmente para a defesa do povo e para refrear a excessiva licença que os reis praticam – como antigamente os lacedemônios tinham os éforos opostos aos reis, e os romanos tinham os tribunos do povo para opor-se aos cônsules e os atenienses seus *demarcas* para opor-se ao senado, e como pode acontecer atualmente em cada reinado, quando os três estados são reunidos em corte – defendê-los-ei se tais estados se opuserem e resistirem – segundo o ofício que desempenham – à excessiva licença dos reis, porque se eles dissimulassem em relação aos reis que, desordenadamente, oprimem o povo infeliz, eu afirmaria que essa dissimulação pode ser acoimada de grave traição e isso porque, maliciosamente, como traidores de seu país, põem a perder a liberdade de seu povo, para cuja defesa e amparo – devem saber – foram por ordenação divina colocados como tutores e defensores.

Limites impostos por Deus à nossa obediência aos homens

Mas na obediência que, segundo temos ensinado, se deve aos homens, há que estabelecer sempre uma exceção ou, melhor dizendo, uma regra que se deve observar antes de tudo: a regra é que uma tal obediência não nos separe da obediência àquele sob cuja vontade é razoável estarem contidas todas as disposições emanadas dos reis, e que todos os seus mandatos e constituições cedam ante as ordens de Deus, e que toda sua alteza se humilhe e abata diante da majestade divina. Pois, na verdade, que perversidade não seria se, para contentar os homens, incorrêssemos na indignação daquele por cujo amor devemos obedecer aos homens? Portanto, o Senhor é o Rei dos reis. Rei que, apenas abre seus lábios, é ouvido acima de todos. Depois dele temos de nos submeter aos que têm preeminência sobre nós, porém, não de outra maneira senão nele. Se os homens nos exigem alguma coisa contrária ao que Ele tem ordenado: não devemos dar importância alguma a essa exigência, seja quem for que a faça. Nisso não se faz ofensa a nenhum superior, por mais elevado que seja o seu cargo, e isso quando o submetemos e o pomos sob o poder de Deus, que é o único e verdadeiro poder em comparação com os outros.

Por isso Daniel (6,20-22) protesta, dizendo que em nada havia ofendido ao rei, ainda que houvesse agido contra o edito régio injustamente apregoado, visto que o rei havia ultrapassado seus limites, não apenas excedendo-se em relação aos homens, mas, também, levantando sua cerviz contra Deus, e ao agir assim havia-se degradado e perdido sua autoridade.

Ao contrário, em Oseias (5,11), o povo de Israel é condenado por haver obedecido, voluntariamente, às ímpias leis de seu rei, porque, depois que Jeroboão mandou fazer os bezerros de ouro, deixando o templo de Deus, todos os seus vassalos, para alegrá-lo, se entregaram demasiado fácil às suas superstições (1Rs 12,30), e logo houve muita facilidade para seus filhos e descendentes se acomodarem ao capricho de seus reis idólatras, dobrando-se a seus vícios. O profeta, com grande severidade, lhes lança em rosto o pecado de haverem aceito semelhante edito régio. Tão longe está de ser digna de louvor a dissimulação alegada pelos cortesãos, quando exaltam a autoridade dos reis para enganar as pessoas ignorantes, dizendo-lhes que não é lícito fazer coisa alguma contra aquilo que lhes foi ordenado. Como se Deus, ao constituir homens mortais para dominar, tivesse aberto mão de sua autoridade ou que o poder terreno sofresse menoscabo por submeter-se, como inferior, ao soberano império de Deus, ante cujos olhos tremam todos os príncipes.

Sei muito bem que dano pode advir da constância que peço aqui, porque os reis, de modo algum, podem consentir em ver-se humilhados, reis cuja ira, diz Salomão, é mensageira de morte (Pr 16,14). Mas como, por São Pedro, celestial pregoeiro, tem sido proclamado que "é necessário obedecer a Deus antes que aos homens" (At 5,29), consolemo-nos com a consideração de que, verdadeiramente, daremos a Deus a obediência que nos pede, consentindo antes em sofrer qualquer coisa do que desviar-nos de sua santa Palavra. E para que não desfaleçamos nem percamos o ânimo, São Paulo nos estimula com outro aguilhão, dizendo que fomos comprados por Cristo por preço tão alto quanto lhe custou a nossa redenção, para que não nos façamos escravos nem nos sujeitemos aos maus desejos dos homens, e muito menos à sua impiedade (1Cor 7,23).

Glória a Deus!

Tradução de Sabatini Lalli

Vozes de Bolso

- *Assim falava Zaratustra* – Friedrich Nietzsche
- *O Príncipe* – Nicolau Maquiavel
- *Confissões* – Santo Agostinho
- *Brasil: nunca mais* – Mitra Arquidiocesana de São Paulo
- *A arte da guerra* – Sun Tzu
- *O conceito de angústia* – Søren Aabye Kierkegaard
- *Manifesto do Partido Comunista* – Friedrich Engels e Karl Marx
- *Imitação de Cristo* – Tomás de Kempis
- *O homem à procura de si mesmo* – Rollo May
- *O existencialismo é um humanismo* – Jean-Paul Sartre
- *Além do bem e do mal* – Friedrich Nietzsche
- *O abolicionismo* – Joaquim Nabuco
- *Filoteia* – São Francisco de Sales
- *Jesus Cristo Libertador* – Leonardo Boff
- *A Cidade de Deus – Parte I* – Santo Agostinho
- *A Cidade de Deus – Parte II* – Santo Agostinho
- *O conceito de ironia constantemente referido a Sócrates* – Søren Aabye Kierkegaard
- *Tratado sobre a clemência* – Sêneca
- *O ente e a essência* – Santo Tomás de Aquino
- *Sobre a potencialidade da alma – De quantitate animae* – Santo Agostinho
- *Sobre a vida feliz* – Santo Agostinho
- *Contra os acadêmicos* – Santo Agostinho
- *A Cidade do Sol* – Tommaso Campanella
- *Crepúsculo dos ídolos ou Como se filosofa com o martelo* – Friedrich Nietzsche
- *A essência da filosofia* – Wilhelm Dilthey
- *Elogio da loucura* – Erasmo de Roterdã
- *Linguagem corporal em 30 minutos* – Monika Matschnig
- *Utopia* – Thomas Morus
- *Do contrato social* – Jean-Jacques Rousseau
- *Discurso sobre a economia política* – Jean-Jacques Rousseau
- *Vontade de potência* – Friedrich Nietzsche
- *A genealogia da moral* – Friedrich Nietzsche
- *O Banquete* – Platão
- *Os pensadores originários* – Anaximandro, Parmênides, Heráclito
- *A arte de ter razão* – Arthur Schopenhauer
- *Discurso sobre o método* – René Descartes
- *Que é isto – A filosofia?* – Martin Heidegger
- *Identidade e diferença* – Martin Heidegger
- *Sobre a mentira* – Santo Agostinho
- *Da arte da guerra* – Nicolau Maquiavel
- *Os Direitos do Homem* – Thomas Paine
- *Sobre a liberdade* – John Stuart Mill
- *Defensor menor* – Marsílio de Pádua
- *Tratado sobre o regime e o governo da cidade de Florença* – J. Savonarola
- *Primeiros princípios metafísicos da Doutrina do Direito* – Immanuel Kant
- *Carta sobre a tolerância* – John Locke
- *A desobediência civil* – Henry David Thoureau
- *A ideologia alemã* – Karl Marx e Friedrich Engels
- *O conspirador* – Nicolau Maquiavel
- *Discurso de metafísica* – Gottfried Wilhelm Leibniz
- *Segundo Tratado sobre o governo civil e outros escritos* – John Locke
- *Miséria da filosofia* – Karl Marx
- *Escritos seletos* – Martinho Lutero
- *Escritos seletos* – João Calvino
- *Que é a literatura?* – Jean-Paul Sartre
- *Dos delitos e das penas* – Cesare Beccaria

Notas

1

* Texto original em *Institutas,* livro III, cap. X.

2

* Texto original em *Institutos,* livro IV, cap. XX.

1. Anotação do tradutor, a respeito dos dois textos aqui apresentados (cap. 9 e 10), diz o seguinte: "Os assuntos tratados nestes dois capítulos da *Institutio Religionis Christianae* (Instituição da religião cristã), mais conhecida como *Institutos,* são parte integrante do pensamento teológico de João Calvino, reformador francês, e por isso devem ser entendidos e julgados à luz desse pensamento, devendo-se, também, levar em conta a época e as circunstâncias em que a obra foi escrita. Da autoridade que Calvino reconhecia nos magistrados inferiores – cujo dever, em defesa do povo oprimido, era o de opor-se aos reis tiranos – nasceu posteriormente a doutrina reformada da resistência aos tiranos".